De las pequeñas cosas

D1232299

voces

De las pequeñas cosas

Antón Arrufat

LETRAS
CUBANAS

Edición y corrección: Ana María Muñoz Bachs
Dirección artística y de cubierta: Alfredo Montoto Sánchez
Ilustración de cubierta: Manuel Fernández, sobre un cuadro
    de Quentin Metsys
Diseño interior: Belinda Delgado Díaz
Composición computarizada: Yuliett Marín Vidiaux

ISBN 978-959-10-1377-4

Instituto Cubano del Libro
Editorial Letras Cubanas
Palacio del Segundo Cabo
O'Reilly 4, esquina a Tacón
La Habana, Cuba

E-mail: elc@icl.cult.cu

Manuel Fernández, te debo el descubrimiento de las menudas cosas del mundo. Una vez me destacaste que el perrito de María Estuardo, en el instante en que el verdugo se disponía a decapitarla, ladraba y gemía en el patíbulo. Tuvieron que hacerlo callar para proseguir la ceremonia. A ti, que en un momento trágico puedes percibir al perrito fiel, dedico estas páginas. Sin tu señalamiento, tampoco, como muchos, me habría percatado de las pequeñas cosas.

A.A.

EN MEMORIA DEL CARRUAJE

Él está ahí, habitual en su condición, resistente y frío. No parece esperarte. No requiere de ti: es un objeto total en sí mismo, hasta cierto punto ajeno. Has consultado varias veces el reloj: es entrada la medianoche. Debajo de los árboles, detenido y antiguo, pero existente todavía, con su rojiza lucecita prendida, cada momento se te presenta como más necesario. En el pescante el guía parece adormilado, caído un tanto el látigo. Esperas que un auto de alquiler te saque del centro del pueblo —estás a un costado del parque central de Holguín— y te lleve hasta el hotel Pernik, donde te alojas. Pero el tiempo, con esa costumbre tan suya, pasa. No llega el moderno automóvil con su cartelito de «Taxi» en letras rojas. Y vuelves a poner los ojos en él: sigue ahí, bajo la arboleda del parque, como un armatoste, semejante al chasis del automóvil que no llega. Para cruzar la calle y acercarte tendrás que vencer el temor al ridículo, cierta resistencia, muy cubana, a aceptar «lo viejo» como de utilidad todavía efectiva. Tendrás que vencer esas resistencias, renunciar —quizá por un instante— a tu condición de hombre moderno.

Consultar de nuevo el reloj te decide: ya cruzas la calle, ya te acercas. Con dos palabras lo contratas. Pones el pie en el estribo de metal, que se balancea, cruje —inseguro o dócil—, y subes por primera vez en tu vida a un coche de caballos.

Para tu asombro no es incómodo el asiento. En el delantero no viaja nadie. Ves la espalda del cochero, el látigo que se alza, desciende casi sin rigor, simple aviso, sobre las ancas del viejo caballo. Las riendas se tensan por un segundo con crujir de cuero resobado, y el coche se pone en marcha.

Para tu asombro camina, avanza, cruza una esquina, se aleja del parque, toma una calle solitaria en busca de la salida del pueblo. Para tu asombro.

Cohibido en tu asiento te hundes en él. Intentas ocultarte de la mirada de los transeúntes, aunque pocos a esa hora, suficientes para mirarte con sus insistentes pupilas que supones burlonas. Resuenan los cascos del caballo en el pavimento: así no sonaría un auto con sus ruedas de goma y su motor silente. Tampoco las calles asfaltadas ya están hechas para los coches: te das cuenta, mientras semioculto quisieras que nadie te viera. El temor a las miradas burlonas te vuelve susceptible a la presencia real del coche, del farol encendido a tu izquierda, y hasta te parece distinguir un brillo rápido en las patas del caballo, como si las herraduras chispearan en el asfalto.

Percibes —claramente— el movimiento del vehículo, su condición frágil y una sensación de vulnerabilidad muy especial (nada de esto es posible en un auto, comparas mentalmente), y sobre todo, cuando el coche ya se encamina por la avenida de entrada a Holguín, la presencia del cielo, oscuro y estrellado a la vez. (El fuelle hace años que no funciona.) Al ampliarse la avenida dejas de cuidarte de los transeúntes, de la gente de a pie, como se diría en la época en que el coche era una novedad.

¿No lo vuelve a ser ahora, pero desde otro punto de vista, con otro sentido? Para quien lo vio por vez primera, el rico que lo adquirió y llamó a la familia para que bajara al patio de la casona a contemplarlo, y uno de los hijos se acercó y lo tocó con dedo tembloroso por la emoción, y luego montaron risueños y un tanto consternados, y el calesero —todavía probablemente esclavo pero que en aquel momento de júbilo ante un invento mecánico por igual se sentía sorprendido—, con la habilidad de su oficio espoleó la bestia y el carruaje salió para llevar a la familia rica a dar un paseo por la avenida de Paula, era una novedad asombrosa, una victoria del ingenio humano sobre la naturaleza.

Cada invención técnica (o artística), como los descubrimientos científicos, tiene al principio una función catártica: libera al hombre de la servidumbre de una situación, en este caso física: la sumisión de ir a pie. La técnica produce una constante metamorfosis del «sistema natural». Vuelves a servirte esta noche de un instrumento que fue hace más de cien años prolongación del cuerpo humano.

Útil y al principio sorprendente, con el tiempo y el uso devino el carruaje cotidiano, al igual que el teléfono o el tocadiscos, que usas casi sin darte cuenta, como un hecho natural. En tanto el coche, semejante a un insecto, se aventura en la ancha avenida con su ojo parpadeante, junto a un camión que pasa o un ómnibus profusamente iluminado, recuerdas la página memorable que en *La montaña mágica* dedicó Thomas Mann al encuentro de Hans Castorp con el tocadiscos, o el momento en que Marcel escucha en la novela de Proust la voz moribunda de su abuela que lo llama por teléfono, desde París, a la playa de Balbec. En estos dos encuentros, ni el teléfono ni el tocadiscos eran aún objetos cotidianos. Producían un deslumbramiento que el uso convierte luego en habitual, aunque la magia del objeto —si puede decirse así— no ha desaparecido del todo. En cualquier instante singular puede reaparecer, como te ocurre ahora con el coche. Quizá es doble tu encuentro: es una novedad y es un hecho histórico. No lo era para quien lo vio recién salido del taller del constructor y lo montó por vez primera. O crees que no lo era.

¿En qué momento de la historia el hombre no fue histórico? Lo incontrovertible hoy reside en una conciencia sutil y lacerante de la historia. De lo histórico, de su conciencia, ya no se puede escapar. (Intentar escapar es también un hecho histórico. Ha sido el sueño de ciertos hombres.) Si tú subes a un coche por vez primera, sabes que lo haces por vez primera, y que —simultáneamente— es un aparato mecánico que cuenta con una historia. Puede ser nuevo por un instante —y aquí radica la magia perdurable del objeto—, y es viejo al momento.

Miras tus pies descansar en la madera descubierta de su caparazón, y recuerdas que antes de convertirse en coche de alquiler, cuando era propiedad de un marqués, de un rico o de un obispo, habría allí una alfombra. El fuelle, hoy roto e inservible, protegía al pasajero de la lluvia o del sol tropical. Y gradualmente recuerdas que el coche es pariente del quitrín, este de la volanta, y la volanta de la calesa. Ahí te detienes, en el siglo XVII. La calesa era española, andaluza. Rústica comparada con la volanta, que era resistente y grácil, pero en ninguna podía viajar cómodamente más de una persona. El quitrín, por el contrario, fue un carruaje lujoso y de mayor tamaño, con el fuelle que se abría y se cerraba, y capacidad para dos o tres personas.

Te parece que los inventos técnicos se perfeccionan como superponiéndose y brotan unos de los otros. Refiriéndose al escritor, decía André Gide que un escritor está subido en los hombros de varios escritores que lo antecedieron, los cuales a su vez están encima de los hombros de sus antecesores. Así te explicas, entre los vaivenes del carruaje, el desarrollo de estos vehículos. De nuevo la carrocería del coche, como en el momento en que lo viste bajo la arboleda del parque, se te confunde con el chasis del automóvil. Qué parecidos te resultan ahora. Te viene a la mente una frase: «La anatomía del hombre da la clave de la anatomía del mono.» La estructura del coche, forma superior del carruaje, da la clave de la del quitrín, como este da la de la volanta, forma más rudimentaria. El automóvil nos permite comprender a sus precursores, al igual que Kafka a los suyos.

Cada una de estas formas es históricamente legítima: está en su momento y en su circunstancia, y se encuentran, además, estrechamente relacionadas con una manera de vivir y de pensar, hasta con una manera de morir. Son manifestación, en el caso del quitrín o de la volanta, del gusto por el confort, la buena vida y la molicie de las clases altas, de su urgencia y concepto del tiempo, del clima cálido, incluso del trazado urbanístico de la ciudad. Las sopandas de cuero, sobre las que descansaba la armazón del quitrín, comunicaban al carruaje un movimiento flexible, menos duro que los muelles, y eran consecuencia del empedrado de las calles.

Te resulta curiosa la ligazón de los objetos con las personas. Piensas que tienen una vida correlativa con la de quienes los fabrican y usan. El hombre forma un todo con sus objetos. Nunca es un cuerpo solitario, se viste y se arma, empuña un bastón y viaja en quitrín. El verdadero organismo humano es el conjunto integrado por tu cuerpo y tus objetos. La existencia de un hombre, de quien viajó tal vez en este coche, se vincula con el asiento que ocupa, con la cama en que duerme. Donde no hay sillas ni camas la vida es diferente, el gesto, la manera de conducirse. Además, si un objeto es resultado de una época, a su vez la modifica. El otro día leíste, en unas páginas de Alfonso Reyes, algo parecido: el automóvil ha incorporado de nuevo zonas que parecían abandonadas y yertas. Por otra parte, lo que es más importante ahora para ti, el objeto desarrolla nuevas vías, nuevas líneas de exploración.

En *Cecilia Valdés* traza Villaverde sutilmente la diferencia —lo recuerdas en esta noche— entre el padre español, Cándido de Gamboa, y sus hijos cubanos, vestidos a la última moda, derrochadores y despreocupados: don Cándido viaja en su rústica calesa española, sus hijos, en quitrín criollo y lujoso.

Te figuras que la historia de ciertos objetos permitiría componer la de un pueblo (o la de una civilización). Redactar la biografía de un encaje es trazar la historia de un país y la de una época. Así es de concatenada la realidad: una hebra puede revelar todo el tapiz. La historia del quitrín, desde el acto de nombrar cada una de sus partes, el modo de enganchar, la construcción de las caballerizas, la fundición de los metales, el decorado y los emblemas, la domesticación del caballo y el cuidado de sus enfermedades, cepillos, gamuzas y pendones, bridas y látigos, hasta la sensación de cercanía a las cosas que produce viajar en él, un concepto del espacio y de la velocidad, diferentes del de otras épocas y sociedades, revelaría supuestos de la vida cubana, la de los ricos y la de los pobres —por añadidura y contraste— durante decenas de años del siglo pasado.

Ya el coche se acerca al hotel Pernik. A la derecha resplandecen las luces ultramodernas del estadio, y a la izquierda ves las nuevas construcciones de la provincia. Rematando una pequeña elevación aparece el hotel, esplendente de color y modernidad. El viejo coche se detiene, zumba estremecido y casi renqueante, y tú bajas. En cada ciudad moderna, reflexionas al cruzar a pie la avenida hacia el hotel, debería conservarse un lugar para estos recuerdos: un coche, un tranvía, una vitrola. Montar en ellos (usarlos) es un corto aprendizaje de historia viva.

En el vestíbulo te sorprende un niño que juega con un carrito plástico. Al pasar te fijas en el juguete: encantadora y casi mágica reproducción de un Laurin-Klement, automóvil de 1908. El niño lo hace correr sobre el mármol de una mesa.

ELOGIO DEL COCUYO

Mientras te escribo, querida amiga, vuelvo a ver, al principio con imprecisión, luego casi nítidamente —así es de caprichoso el recuerdo—, aquella noche al final de la fiesta, terminado el trabajo voluntario, cuando nos sentamos en un banco de madera a la entrada del albergue, bajo la arboleda oscura.

Estábamos de repente solos. La fiesta terminaba, un poco distante. Nos rodeaban las fincas cercanas a San Antonio de los Baños. Tú habías venido con otras compañeras, desde los albergues de las mujeres, para celebrar el fin de la recogida de tabaco.

¿Recuerdas el momento? Se vuelve tan nítido para mí ahora. En el banco los dos, en plena noche guajira. Entonces levemente —levedad que revela tu delicadeza al no querer destruir el momento—, me tocaste en el brazo y vi tu dedo, apenas físico, alzarse señalando los árboles negros. Mis ojos lo siguieron y descubrí el espectáculo: estaban los cocuyos posados en las ramas, revolando: líneas verdosas móviles circundaban los árboles como guirnaldas. Nada dijiste. Mirábamos los dos absortos, encantados, aquella aparición luminosa. Fue un momento mágico, no cabe otra palabra. De ingenuidad y emoción casi infantiles. Fue —realmente— un reencuentro con la niñez perdida. Ya no pudimos reanudar la charla interrumpida: el cocuyo se apoderó de nuestra conversación, y fue su tema hasta que vinieron a buscarte para regresar al albergue.

Ambos teníamos experiencias acerca de los cocuyos. Habitantes de pequeñas ciudades de provincia (cada vez que escribo «pequeñas ciudades» viene a mi boca la sentencia de Rilke: «Una gran ciudad es cosa contra natura»), circundadas todavía de naturaleza, nuestra infancia estuvo marcada por el descubrimiento de estos insectos luminosos. En tanto los contemplábamos revolar, te conté o nos contamos (la emoción de verlos nuevamente en todo su esplendor confundía nuestras confidencias) las veces que de niño, temeroso de la oscuridad de la noche —fui un niño medroso pero terco—, cruzaba el patio de mi casa santiaguera y saltaba la tapia del fondo para internarme en el traspatio de una familia vecina, sembrado de frutales. Allí, vencido el temor, contento de vencerlo, podía ver la danza nocturna de los cocuyos alrededor de las plantas, encendiendo, apagando sus luces.

Luego aprendí que la luz era afán de reconocimiento por los demás miembros de su misma especie, efecto del deseo de cópula. La luz de unos atrae a los otros. Se hacen, querida amiga, señales urgentes, se llaman en la oscuridad. Es un modo de reconocerse y acoplarse mediante la luz. Y esta necesidad de compañía, tan devoradora y ciega, tenía para ellos trágicas consecuencias: se dejaban cazar con gran facilidad.

Yo entraba en el traspatio —¿no me lo oíste aquella noche?— llevando un farol apagado, capturaba uno o dos con la mano, de los pequeños y fáciles de atrapar, y los metía dentro del farol. Para irritarlos lo agitaba y, cuando emitían su rayo, elevaba el farol esplendente en el aire lúgubre: por decenas venían a mi alrededor, cayendo torpemente en mi poder. Lleno el farol, lo ponía en mi cuarto, encima de la mesa de noche, semejante a una lámpara viva. Cuando morían, tras dos o tres días de cautiverio, regresaba de cacería al traspatio vecino o ponía el farol en el marco de la ventana de mi cuarto, y mediante la luz postrera de los agonizantes conseguía que otros acudieran al llamado. Al hacerlo no dejaban de cumplir con su instinto, perennemente naturales.

Mientras te redacto estas líneas me parece sentir en mis dedos la vibración agitada del caparazón del cocuyo tratando de defenderse y de escapar. Un caparazón duro, brilloso, como aceitado a la vista. (En el manual de zoología, abierto al escribirte, se denomina cutícula de quitina, y protege su cuerpo.)

Me figuro oírte de nuevo la manera en que tus hermanos cazaban los cocuyos: apresado el primero, pinchábanle con un alfiler el abdomen (tienen, al igual que todos los insectos, cabeza, tórax y abdomen, según reza el manual), y lo agitaban con el fin de atraer otros, cantando una cancioncita que no he olvidado: «Cocuyito maromero / ven que te quiero»... Tú, encantada con la arribazón, te escondías sin embargo temerosa. Obedecías la advertencia de tu madre. Para ella los cocuyos se deslizaban en el oído de los niños y se negaban a salir. Había que matarlos con gotas de aceite tibio. Insensiblemente, oculta, llevabas los dedos a los oídos, pero sin abandonar tu puesto de observación, allá en tu pueblecito de Los Arabos, en la tierra matancera.

Si ahora te escribo se debe a nuestra conversación de aquella noche. Con tu habitual curiosidad, tan femenina, hacías varias preguntas que yo, naturalmente, no pude contestar. Cambié mi silencio ignorante por una promesa: escribirte después de obtener algunos datos. Aquí te van, en cierto orden y en cierto desorden. Como verás, el motivo de la carta, que debió figurar en el párrafo introductorio si hubiera procedido con lógica, lo estampo por el contrario a la mitad, y ya es el primer desorden. Pero los recuerdos tienen lógica y secuencia propias. Prefiero no violarlas.

Una de tus preguntas se refería a la procedencia del nombre. Empecemos ahora, como buenos racionalistas, por el mismo hecho de nombrar. Aunque no soy especialista en etimologías, y menos en filología, he podido conocer que la voz cocuyo tiene su origen, según la autoridad Esteban Pichardo, en la voz caribe *cocuí* o *cucuí*. Este origen indiano no ha sido reconocido por la docta Academia, la que pule y da esplendor. Fernando Ortiz, en el *Catauro de cubanismos*, parece otorgar cierta razón a los doctores de la lengua, y cita en su apoyo a José Ignacio de Armas, inteligencia excéntrica y áspera, olvidado tal vez injustamente. Ya en 1892, De Armas sostenía dos creencias, que la voz cocuyo procedía del latín, *cuculus*, o de *cucullos*, grillo. Ortiz aclara que, por tener un copete en la cabeza, al cuclillo se le llamó *coculus*. «Acaso algún frailuco», conjetura Ortiz, «al ver la misteriosa fosforescencia sobre la cabeza del cocuyo o cucuyo, como también se dice, así lo llamó. Quizás una originaria voz indígena, *cucu*, u otra análoga, se transformó por atracción fonética del latín.»

Según puedes comprobar por las citas, Ortiz no afirma nada. La papeleta de su *Catauro...* es esencialmente especulativa. Abunda en posibles y quizás. Sin embargo, amiga, los primeros poetas cubanos que mencionaron el cocuyo, Ignacio Valdés Machuca y Francisco Iturrondo, escribieron *cucuí*, nombre que según Pichardo era el original, el caribe. Es probable —continúan, amiga, las vaguedades— que todavía, en las primeras décadas del XIX, el término no se hubiera fijado y se le llamara *cucuí* empleando el vocablo originario, o cocuyo indistintamente. La ortografía era también incierta. Cocullo escribía Domingo del Monte, cocuyo, su contemporáneo Bachiller y Morales.

Después del origen del nombre, hablamos de su luz.

Puedo decirte ahora, consultado el manual de zoología, que varias especies de insectos poseen órganos luminosos.

El cocuyo y la luciérnaga —con la que se le compara erróneamente— se encuentran entre ellos. Perdona que transcriba los términos del manual, un tanto terroríficos: «Los cocuyos presentan un par de áreas luminosas muy conspicuas en el protórax, las luciérnagas tienen órganos luminosos en la parte ventral de algunos segmentos del abdomen.» Tras situar el lugar donde se produce la luz, que para algunos era en los ojos, pasa a explicar que «la oxidación de una sustancia orgánica llamada luciferina en presencia de una enzima denominada luciferasa es la causa de que se produzca en el interior de las células el rayo luminoso.» Si lees detenidamente dos o tres veces y tienes presente que la oxidación consiste en convertir en óxido una sustancia, el misterio de su luz y el tremendismo del párrafo con sus términos científicos se tornan claros.

El color del destello de su rayo no ha sido el mismo para algunos observadores. A los viajeros que han escrito sobre nuestro país —algunos, páginas realmente reveladoras de la existencia cotidiana—, la luz del cocuyo les parecía no tener color uniforme. Para el barón de Humboldt, ramas y hojas resplandecían con «luces rojizas» de varia intensidad. En las *Cartas desde Cuba*, el pastor y doctor en Teología, Abiel Abbot, se detiene a describir en varios párrafos entusiastas su encuentro con el cocuyo. Establece otra diferencia entre este y la luciérnaga —que en su infancia contemplaba en la pradera o en el césped del jardín «embelleciendo la negrura de la noche con su destello súbito»—, basándose en la duración de la luz. En las luciérnagas es intermitente y discontinua, en el cocuyo continuada y fija, mientras dura su vuelo. Para Abbot no era rojiza como era para Humboldt, sino de «extraña blancura y pureza». Finalmente, para terminar por el momento con los viajeros, Fredrika Bremer, quien nos visitó en 1851, llama a su descubrimiento del cocuyo «aventura extraordinaria», resaltando un hecho que ni Abbot ni Humboldt consignaron: el zumbido que produce el cocuyo al volar, para afirmar después que ha podido leer una carta utilizando su luz, moviéndola sobre las líneas igual que a una pequeña lámpara. ¿Y cómo es el color de esta luz para la Bremer? Azul claro, de una tonalidad de gran belleza.

Poetas cubanos destacaron su color verdoso. Luaces llamó a los cocuyos «antorchas de los bosques», deliciosa hipérbole para animal tan breve, y que al volar sembraban de esmeraldas el horizonte. «Verde luz», dijo Teurbe Tolón de su brillo. «Ráfagas de verde», Valdés Machuca, «fulgores de esmeralda», Iturrondo. No obstante, amiga, Juan Francisco Manzano, en el más hermoso de estos poemas dedicados al coleóptero («La cocuyera»), pareció asumir todas las variantes de color enumeradas cuando escribió: «La luz a que no cabe / color acomodado.»

Una costumbre, recogida por estos viajeros en sus páginas, despertará tu curiosidad femenina. No sólo el cocuyo era un objeto para el juego infantil, pasmo de la niñez, espectáculo sorprendente para el viajero en medio de la honda noche campesina —noche imposible de recuperar, ni en la ciudad ni en el campo, dado el progreso de la electrificación moderna—, sino que constituía también un inesperado adorno mujeril. En las fiestas nocturnas acostumbraban las cubanas llevar sobre el cuello sartas de cocuyos. Los deslizaban en sus peinados o los prendían en la muselina de sus vestidos. De vez en cuando iban las manos al cuello o al peinado para irritar al coleóptero y hacerlo brillar. Otras veces, encerrados en finos pañuelos de batista, parecían de pronto tener entre los dedos un fanal inopinado. La luz aceitada del cocuyo daba un atractivo fantástico a estas mujeres.

No te entristezca, amiga, tal crueldad. Una parte del caparazón puede atravesarse sin dañar el insecto. Y al regresar de la tertulia o el sarao, los echaban en un vaso con agua para refrescarlos. Luego, ya en las cocuyeras, les daban a chupar trocitos de caña.

Casi al terminar estos renglones desearía que aquella noche en San Antonio de los Baños, en la que nos reencontramos con los cocuyos, permaneciera intacta en nuestras memorias y no volviera a repetirse en la realidad.

¿Para qué tentar al aburrimiento o al desencanto?

Querida amiga, una recomendación última: no te sorprenda que el cocuyo, pese a su maravilloso aspecto luminoso, pertenezca a la especie en la que figuran el ciego comején o la traza, la cucaracha viscosa y sin resplandor. Suelo mencionarte a uno de los antiguos griegos que más me atrae: Filoctetes. Él poseía un arco infalible en la guerra, y sin embargo, tenía una llaga pestilente que alejaba a los hombres. El cocuyo no es más que un insecto, pero puede iluminar de repente la oscuridad con trazo inusitado. ¿No es suficiente, amiga, para dedicarle un instante de atención?

Me despido a la griega: que la vida te sea leve.

DIFAMACIÓN DEL CORSÉ

Ambos se hallan en la sala de lectura de la Biblioteca Nacional. Es pleno mediodía. El aire cálido, abrileño, hace sonar las grandes persianas metálicas de los ventanales. Un ruido seco, y de repente como de decenas de varillas que pegan en los cristales y parecen desprenderse en sucesión. Hay varias revistas del siglo pasado y de comienzos del presente en la mesa de madera pulimentada. A la luz de blanca intensidad de la hora, repasan las páginas satinadas de *El Fígaro* y *La Habana Elegante*. Sus ojos se detienen en los anuncios comerciales, los *reclames* de la época. Tranquilos, familiarizados con los asuntos, buscan algún dato nuevo, algún nimio descubrimiento. Colocando su dedo en el grabado de un corsé que sirve de anuncio publicitario a una casa de modas, uno le dice de repente al otro:

—*Durante toda su vida mi abuela usó corsé. La moda, naturalmente, había pasado, pero ella era muy presumida. Nunca olvidaré la vez primera en que la vi meterse dentro de esa armadura, que parece ahora tan frágil en este diseño. Yo era un niño entonces. Mi hermana, que me llevaba unos años, la ayudaba a ponérselo. Desde la puerta del cuarto atisbé, sin ser visto, el momento en que procedía con tal empresa. Tiraba de los cordones, y mi abuela, parada frente a la gran luna del armario, cogía aire, alzaba los hombros y apretaba la barriga,*

19

y le ordenaba que aumentara la presión, que tirara con mayor fuerza: «Niña, aprieta sin pena. Dale fin a esta empella.» Y mi hermana halaba con todas sus fuerzas hasta caer sentada en el piso. Luego mi abuela, ya bastante gorda, ordenó a su nieta: «Ponme el pie en la espalda.» Agarrada de los cordones, mi hermana realizó el mandato y tiró hasta que la abuela quedó satisfecha. Su gordura había desaparecido en apariencia. (Yo temí que se le hubiera subido a los senos.) Rapidísima, mi hermana, para impedir que se volviera a aflojar el corsé, anudó los cordones. También veloz, mi abuela cerraba los broches. Se había quitado varios centímetros de cintura. Se alejó con el fin de admirar en el espejo la esbeltez artificial de su nuevo talle. Te advierto que tenía más de sesenta años cuando esta operación titánica se realizaba cada vez que se vestía para dar un paseo. Hasta su muerte no dejó de llevar corsé.

Por el momento el otro permanece callado y se limita a hojear las páginas de El Fígaro, en las que se repiten los diseños del corsé fin de siglo. Al rato, rompiendo su mutismo, inicia con pausada voz de erudito el recuento de las diversas etapas del corsé, con la finalidad de situar a su oponente en la historia. El corsé no se usó tan sólo en tiempos de su abuela, de finales de siglo a los años treinta, sino que data de tiempos más remotos. Su relato empieza por el más desarrollado de los corsés, el que tienen delante en los grabados de El Fígaro, y concluye con la mención de los primeros.

—El corsé, del francés corset, de corps, cuerpo —apenas puede evitar su inclinación por las etimologías—, *era hacia los ochenta del siglo pasado una especie de cotilla interior que las mujeres se ponían sobre la camisa. Abarcaba desde los hombros hasta la cadera. Se fabricaba, por las corseteras francesas, de un tejido resistente y rígido de malla estrecha provisto de gran número de ballenas metálicas.*

En el diseño de la revista señala las dos ballenas principales, las que dividían los pechos bajando más allá del ombligo. Prosigue explicando que se ataba por detrás, con un cordón que unía sus dos lados, como había visto hacer a su abuela con ayuda de la nieta, o como hacían otras mujeres auxiliadas por una amiga o una criada, y las casadas, por sus maridos. El antecedente de este corsé, la cotilla, usada en tiempos del reinado de Luis XV, especie de corsé armado con ballenas de placas de hierro y broches que bajaban rectos hasta acabar en punta sobre el vientre, comprimía el pecho y hacía el talle sumamente largo. En los cuadros del XVIII se ven estas figuras femeninas de cinturas mínimas y faldas que se abren de pronto, un tanto más abajo de las caderas. Las ballenas vinieron de Italia a Francia en el siglo XVI, en la vestimenta de Catalina de Médicis, mujer astuta y fanática, intolerante en materia de sentimientos religiosos adversos a los suyos. Las ballenas eran de madera o marfil. Semejante a una coraza, el corsé dotaba a la mujer de un talle inverosímil. Un siglo antes, en tiempos de Felipe II, pues ya era una prenda europea, debajo de la cota se llevaba un corsé elemental, metálico.

—*Si observas la pintura de aquel tiempo* —sigue explicando el otro con singular placer— *comprobarás la tiesura que mostraba el cuerpo femenino. En los retratos aparece erecto, un tanto desafiante, muy moral, con voluntaria rigidez. Durante estos siglos había oculta por el traje una armazón completa. La mujer se propuso tener una silueta diferente a la natural, el talle de avispa, el seno de pechuga, imprimir a su cuerpo una forma determinada, escogida por ella o por sus modistos. El corsé era tan sólo un medio de obtenerla, como lo fueron el miriñaque o la crinolina.*

El uno, repuesto de la avalancha histórica del otro, puede al fin intervenir:

—*Manejas a tu capricho la historia.*

—*¿Porque la cuento del presente al pasado, a la inversa de la costumbre lógica?*

—*No es por eso. En rigor solemos en todo momento hacerlo así. La forma más desarrollada de algo, cosa, sociedad, traje, nos aclara las precedentes, menos desarrolladas. Pero has afirmado que la mujer se propuso, en cualquier época, dar a su cuerpo una silueta imaginaria en contra de la naturaleza o intentar al menos introducir en la naturaleza una variación violenta, y no siempre fue así.*

—Creí por un minuto que te referías a mi olvido de la Edad Media.

—Ya te das cuenta de que no me refería a esa edad. Sé que durante los tiempos medievales también se usó el corsé, la cotilla, o el nombre que tuviera tal prenda femenina.

—Hace rato que quiero hacerte una aclaración, y acabas de darme la oportunidad. Es curioso. La historia del traje o de la moda sigue dejando caer el acento en la vestimenta femenina. El vestido no es cuestión de mujeres solamente, sino de hombres, incluso de niños. Si decimos corsé pensamos en las mujeres. El hombre también lo ha usado. Y aún más, en la Edad Media, cuando se pusieron de moda las calzas ceñidas en el muslo y la pierna, hombres de piernas flacas recurrieron al postizo, de madera y paja, que se ajustaban a la carne con el fin de engordar las pantorrillas. Así podían lucir las calzas sin sentirse observados o motivo de risas. En la Edad Media el corsé femenino —ya que hablamos de él— se usó hacia el siglo VII, cuando el traje dejó de ser amplio y recto y se volvió ajustado en el talle. Se hizo imprescindible apretarse la cintura.

—Mediante artificios.

—Por supuesto —repone irónico el otro.

—En la Antigüedad clásica —dice entonces el uno— no se conocía el corsé, ni había necesidad de inventarlo. Admiro el traje griego, simple y claro, que descansaba sobre los hombros. El corsé resultaría inútil: el cuerpo se dejaba libre, entregado a su propia armonía, sin nada que dificultara la respiración o el movimiento. Era un traje más saludable, y por consiguiente más bello. Oscar Wilde, quien se ocupó en varios artículos del vestido, descubrió uno de los errores de la moda moderna: no comprender que en los hombros, tan sólo en los hombros, debían sostenerse todas las prendas. El uso del corsé, además, produce esa ausencia de gracia que proviene siempre de la falta de soltura. Pero Wilde no resaltó, para mí, la razón

esencial del asunto: el desprecio (y el escamoteo) del cuerpo en cuanto tal que revela casi toda la indumentaria desde la Edad Media hasta los años veinte de este siglo XX, en que parece anunciarse un renacimiento del cuerpo humano, un entusiasmo, al fin, por el cuerpo. No se le esconde, no se le estropea. La reacción del hombre ante su propio cuerpo, la calidad de esta reacción, es clave para determinar el sentido de una época. Se podría trazar una historia de la humanidad desde este punto de vista esencial: ¿cómo ha visto el hombre su cuerpo? ¿Qué relación tiene con él? Creo que esto no se ha intentado todavía. Antaño sólo quedaban a la mirada manos, nariz y ojos. El resto era falsificación textil, peluquería. Ya que hablaste del varón, piensa en el traje masculino de 1890 por ejemplo: levitas, plastrón, barba de mosquetero. «Hace algún tiempo —resalta Gore Vidal— el hombre no era más que un traje, una camisa, una corbata, relucientes zapatos de cuero y sombrero gris. Toda su capacidad de seducción residía en el brillo de sus ojos.» ¿Qué se ocultaba celosamente? El cuerpo viril. Al igual que el cuerpo femenino se torturaba dentro del corsé, y no tanto por alcanzar una silueta voluntaria y domeñar la naturaleza, como tú acabas de afirmar, sino para ocultar la carne, y sobre todo, el sexo. Ocultar en el fondo lo perecedero, lo abominable, el pecado y el alimento futuro del gusano. La femineidad (al igual que la masculinidad) residía en un subterfugio, en una idealidad: la línea falsa y sutil. El cuerpo femenino debía parecer recortado por una tijera.

—No quisiera enfriar tan repentina vehemencia, pero ya en la Antigüedad, para empezar por la primera parte de tu descarga, se usaba una especie de faja, encima o debajo del vestido. No estaba muy distante del corsé, pues servía para comprimir la cintura, realzar y sostener el seno. Homero supone que la diosa Venus se adornaba con un cinturón bordado, que constituía un medio de seducción irresistible. Pues, pese al señor Gore Vidal, el vestido (y lo oculto por tanto) posee también capacidad de seducción.

—Un cinturón no es un corsé. Es más bien un adorno del traje.

—Un adorno que oprime, y al oprimir se propone conseguir una silueta inventada.

—Para mí es como un acabado del traje, y a la vez un medio de destacar (no de esconder) la real cintura que se halla debajo.

—Siempre has tenido una inclinación por la paradoja, no por la verdad.

—Eso es un argumento psicológico. Y además, la paradoja, de ser cierto lo que dices, es un excelente método para llegar a la verdad: destaca aspectos inéditos de ella, y sobre todo remueve lugares comunes.

—Prefiero la investigación histórica paciente. «Lento es el paso del mulo en el abismo.»

—No rechazo tan valioso método. Pero esa faja que mencionaste, y vuelves a manipular la historia, se usó en los últimos tiempos, no en la Atenas de Pericles o de Fidias, a la que yo me referí. La observación la obtienes de un fresco pompeyano en el que una mujer lleva un cinto de tela coloreada, verde en un fresco y en otro rojo. La descripción que hace Homero del cinturón de la diosa no es clara. Se desprende, según los comentaristas, que tal prenda iba encima de la vestidura, nunca debajo como el corsé moderno. La diferencia me parece esencial. Si otorga al cuerpo cierta artificialidad, parte del propio cuerpo, no de su negación, que es lo que afirmo. En cuanto a la faja de los frescos de Pompeya, surge en los tiempos helenísticos, cuando la sociedad atravesaba un período marcado por el sentimiento religioso. Se despreciaba el cuerpo, cárcel del alma, su velo mortal. Veo en el corsé, aparecido en plena Edad Media, un ejemplo de este desprecio por la carne. El cuerpo no es su materia ni su interés, sino una imagen ideal, ajena. Creo que tú mismo lo has dicho.

—Pero con otro sentido. No me manipules tú ahora. Quise reconocer en el uso del corsé el afán humano, tan humano como el tuyo, de modificar la naturaleza. Vestirse no es ir desnudo, y por algo el hombre se puso plumas, se pintó una máscara y luego recurrió al vestido. Me parece que lo hizo, no sólo porque hacía frío y porque veía a los animales con pelos y plumas que los protegían mientras él se encontraba y se sentía desvalido ante los fenómenos naturales, sino por eso mismo: por desvalido. Quiso el hombre no aceptar sus deficiencias corporales, su piel tan fina, y se inventó un traje. Luego quiso que ese traje no se pareciera a su propio cuerpo, tan desvalido, y le puso ballenas, mallas y metales. Aspiró, creo que aspira todavía, pese a tu observación sobre la moda actual, a convertirse en otro, al tener un cuerpo vestido que produjera la impresión en los demás de que su cuerpo era más perfecto, fino o estilizado, como tú quieras decir. En fin, Baudelaire ha insistido en la belleza de la mujer pintada en oposición a la mujer natural. Casal, en la belleza de las ciudades en oposición al campo siempre verde o siempre igual. Esa aspiración es humana y está cercana a la del arte. Es decir, como la cultura en general, es antinaturaleza. Esta es mi respuesta a la segunda parte de tu descarga. Nada más admirable que eso, lo que me gustaría llamar «el trajín humano con la naturaleza». ¿No está en el origen de la civilización?

—Tú, con un extraño poder de síntesis, olvidas diversos factores que configuran la civilización o la cultura. Baudelaire, ya que lo manipulas a tu favor, también se refiere en algún poema a la horrible figura humana del hombre moderno, a sus carnes fláccidas, a su vientre, a sus dientes gastados por la bebida y el cigarro. Imagino como corolario: mejor que se cubran con pintura esos defectos del progreso civilizador. Pero bromas aparte, ¿recuerdas el decir de Plotino en los últimos tiempos romanos, aparecido el cristianismo? Por el asentimiento de tu sabia cabeza compruebo que lo recuerdas. Me avergüenzo de tener un cuerpo, confesaba el filósofo neoplatónico. El alma inmortal era lo significativo, lo importante, cuanto dotaba al hombre de lo específicamente humano. Los animales no tenían alma, por principio. El alma *estaba, según afirmaba Boecio, condenada temporalmente a habitar una forma exterior que se marchita y altera, enferma y perece. Ambos pensadores ejercieron hondo influjo en la doctrina cristiana, en su preocupación y valoración del alma en detrimento del cuerpo. Los textos de la patrística y de los místicos abundan en afirmaciones parecidas y más absolutas, o como tú dirías, vehementes. Si me has recomendado observar con detenimiento ciertos retratos, lo mismo quisiera recomendarte sobre las imágenes torturadas y sanguinolentas de los templos católicos. Recordarte las flagelaciones y el cilicio en la carne pecadora. Imagino que debajo de los refulgentes trajes versallescos o de las delicadas muselinas finiseculares se encuentra también un pequeño cilicio, quizá algo coquetón pero no menos lacerante: el corsé. Sin proponerme competir con tus vastos conocimientos, me complace citarte no obstante una sentencia de Carlyle, deslumbrante en realidad: «El comienzo de la sabiduría es mirar fijamente los trajes, hasta que se tornen transparentes.»*

Las varillas sonaron de nuevo contra los cristales en la sala de lectura. Ambos, otra vez silenciosos, siguieron pasando las páginas de sus revistas. Estaban próximos y semejaban fundirse en una sola persona, donde los criterios opuestos conformarían uno más amplio. Al poco rato se obsequiaron cigarros. Los encendieron entre sí con un fósforo solo.

EL ENCUENTRO

A

Embarcó rumbo a Cuba en el puerto de Charleston, pequeña ciudad sureña de los Estados Unidos, hacia los primeros días de enero de 1841. (La fecha exacta no figura en su diario.) La travesía, en una goleta, fue larga, tormentosa. Cuando vio el tamaño y la fragilidad de la embarcación estuvo a punto de renunciar al viaje. Parecía más apropiada para una excursión por un lago tranquilo que para navegar el océano, el proceloso mar excitante y temido. Más que embarcación de pasajeros, la goleta le recordó una concha marina. No era en realidad exclusivamente de pasajeros. El número no llegaba a treinta. En cambio, se vieron rodeados por sacos de arroz, barriles de agua, cajas de tasajo, cerdos y pollos vivos. «Mezcla muy republicana», consignó con humor en su diario. La goleta zarpó un domingo al amanecer. El mar estaba calmo y no hacía mucho viento. Los cerdos gruñían, corrían los pollos por cubierta.

Cuando la goleta salió mar afuera, a sus espaldas quedaron días de triunfo, éxitos resonantes que le hicieron olvidar «la realidad de las cosas». En apoteosis recorrió el vasto territorio del Norte, tan diferente de las naciones europeas y de su pequeño país natal, las grandes ciudades y los pueblos recién fundados de la costa del Este y del Sur. Senadores y representantes emocionados empujaron como bestias de tiro su calesa triunfal por las avenidas de Washington hasta la puerta del hotel donde se hospedaba. Pero su afán de aventura, experiencias diversas y conocimiento de lo desconocido, promovían su inquietud perenne. Caso singular en su época. Cuando pocos se aventuraban en travesías marítimas peligrosas, cruzó el Atlántico en barco —un poco mayor que en el que viajaba al presente—, bautizado más tarde con su nombre, y desembarcó en tierras de América. Cuando otros, consagrados ya, preferían ejercitarse en el estilo alcanzado, buscó nuevas formas, sin resignarse a lo que había conseguido. Nuevas formas y nuevas tierras. El deseo de triunfar en La Habana y de mantenerse alejada de la vida europea por un tiempo, acuciaban su voluntad incansable. La pasión de viajar («Créeme, no todo es lucro: por el mero éxito monetario no debe viajarse, sino para ver y sentir lo que no puede verse ni sentirse en otra parte») alentaba en su corazón de romántico paganismo. (Según resaltara Théophile Gautier, fue antítesis del romanticismo místico, de las muselinas blancas y los castillos medievales.) Recuerdos conservaba sin duda, y los hilvanó en el viaje. Después los escribiría en supuestas cartas —un tanto imaginarias las cartas y los destinatarios. Sinsabores y triunfos le servían de compañía en el mar. (Cómo anheló recuperar la elasticidad de sus piernas inactivas: «cabriolar sobre tierra firme».) Recordaría durante el trayecto —en el diario lo hizo después— un percance revelador del más agudo conflicto de su vida. Podía divertir (o emocionar) a los poderosos, aceptar sus regalos e invitaciones a la Casa Blanca, a cambio de mantenerse como un hecho «frívolo».

No debía trasponer estos límites, a menos que estuviera dispuesta a sufrir tensiones y luchas. Los mismos que empujaron su calesa y aplaudían con delirio sus actuaciones se negaron a aceptar, entre consternados y ofendidos, su contribución al fondo destinado a la construcción del monumento de Bunker Hill, en memoria de los héroes de la Revolución norteamericana. Hecho revelador del juicio oculto de los demás sobre su trabajo. Con despejo insistió. No se dejaba amilanar fácilmente. Sentía que el dinero ganado con su trabajo no era deshonroso ni manchaba. Su valentía e invencible tesón forjaron de nuevo su éxito. Venció, por un momento al menos, las prevenciones en contra de su oficio, y la contribución finalmente fue aceptada, hecho que nunca olvidó.

B

En la pequeña ciudad de La Habana, rodeada de anacrónicas murallas, hacia los primeros días de enero de 1841 se realizaban los preparativos de su beneficio. (La fecha exacta del primer anuncio figura en los periódicos.) Nunca le faltaron habilidad y gusto para atraer al público. Empeño desplegó siempre en estos previos «arreglos», según vocablo de la prensa de su tiempo. El primero de sus beneficios se efectuó en 1803, casi al principio de su carrera. Luego, a medida que su vida avanzaba, en cada temporada, cumplido el contrato, se «arreglaba» con destreza dos beneficios por año. Respetables sumas y regalos de valor le proporcionaban. En su casa pasaba después revista a estos trofeos. En funciones ajenas aparecía en persona, para leer el programa de su beneficio y recitar décimas alusivas. Solía cantar una tonadilla. Felices ocurrencias improvisadas provocaban la atención y la risa. En las décimas hacía burlas de sí, de la actualidad y de otros personajes. Daba a imprimir avisos en los diarios y en los programas que se entregaban al público. Siempre sin dinero y siempre en su procura —vivió en el despilfarro de sus cuantiosos sueldos—, cada beneficio conjuraba momentáneamente sus apuros económicos. Al presente los años habían pasado y tenía sesenta y seis. Estaba en el momento culminante de su carrera, es decir, cuando el esplendor muestra toques sombríos, los primeros síntomas de la declinación que se avecina. Decidido el programa —estrenaría algo nuevo y repetiría uno de sus éxitos—, el beneficio se llevaría a cabo en el teatro Tacón, que podía albergar cerca de tres mil espectadores.

Tenía previsto que al día siguiente los periódicos habaneros dieran una noticia: la inminente edición de su retrato litografiado. Durante varias sesiones había posado para el grabador Miahle. Un relato de su vida acompañaría al retrato impreso. Tras cerca de cincuenta años en su profesión, era un personaje histórico. Para sí mismo, lo sabía, casi una reliquia: la voz empezaba a sonarle apagada, se le tornaba difícil la respiración, la antigua reciedumbre de sus piernas disminuía:

Oh, pueblo, siempre propicio,
de tu protección indicio
a darme este día ven:
mira que puede muy bien
ser mi último beneficio.

C

Con todo el velamen desplegado la goleta navegaba los mares de la Florida. Se negó a comer el pollo asignado a cada pasajero: una especie de remordimiento contuvo su apetito: poco antes corría confiado a su alrededor. Se alimentó principalmente de arroz. Oyó silbar una noche recio el viento y surcaron relámpagos la negrura del cielo. Un ventarrón azotó la goleta menuda. La tripulación bajó los cables, amarró las cuerdas: el cordaje se estremecía. Escuchó el embate nocturno de las olas, y en la mañana reinó de nuevo la calma.

La cercanía de la tierra de la Florida provocó los recuerdos del capitán: contó anécdotas de los pieles rojas —aún habitaban los bosques de la península—, cacerías y saqueos, sublevaciones, capturas y asaltos de poblados. El pormenorizado relato del exterminio de un pueblo brotó de su boca. Mientras la goleta se desplazaba a lo largo de la costa, vio hileras de indios vigilantes, la mirada resentida y de fuego. Tuvo sueños ingratos: disponían la hoguera, le atravesaban el pecho de flechas. Repentino, el mar se puso azul claro: casi alcanzaba a divisar el fondo. Aves marinas sobrevolaban la goleta y chillando se posaron en los mástiles. Una brisa fina impelía la embarcación. En la distancia apareció la tierra. Era la isla de Cuba.

Al siguiente día desembarcó en La Habana. Un día soleado, 14 de enero. Se conmovió con la belleza del puerto. Negros de vistosas ropas y torsos desnudos esperaban por el equipaje. Con energía sorprendente, uno de ellos alzó el suyo. Todos acompañaban su labor con un canto vivo «a la vez musical y extraño». Se extasió oyendo esa música ignorada. Bajo la esplendente luz de la ciudad multicolor subió a una volanta. Nunca había visto un vehículo parecido. Pensó que sería cómico (y encantador) pasearse sentada en ella por Champs Elysées. Asombro le causaron las grandes ruedas y la vestimenta del calesero, negras polainas y chaquetilla roja. Alojóse en el hotel Mansion House, para extranjeros. Estampó su nombre en el registro: Fanny Elssler, *ballerina*, austríaca, residente en París. La noche del 15 acudió al teatro Tacón.

D

En su casa de La Habana intramuros, entrada la tarde del 15, por última vez se paró ante el espejo. Vestía su ropa blanca: camisa de cuello alto, pantalón, chaleco de piqué. Sólo eran negros los zapatos. Comenzó a hacerse el lazo, también blanco. Tenía el tiempo justo para llegar al Tacón. Era la noche de su beneficio. En el teatro, cambiándose de indumentaria, se pondría el traje de montero, tipo de su especialidad.

Alto, de rasgos acusados, conservaba la flacura de su juventud. Nacido en 1775, cambios bruscos y totales sufrió su vida: estudió Medicina y diseccionó cadáveres, fue cirujano en el batey de un ingenio. Decidió en un momento crucial rendirse a su vocación: renunció a la medicina y se hizo actor profesional. Su familia vistió luto cuando el hijo abandonó una profesión respetada por los avatares y la mala fama de la escena.

Miró, en tanto concluía de anudarse el lazo, su cara arrugada. Tenía ancha la nariz, gruesos los labios, sumida la boca y como

31

desdentada. Despejo daba a su frente la incipiente calvicie. Sus ojos graves y el rictus amargo de sus labios atrajeron siempre la atención del público: era el hombre que nunca reía y que hacía reír a los otros. De acuerdo con su jeta agria se creyó en un principio destinado al drama. En los inicios de su carrera se opuso tenazmente a desempeñar papeles de gracioso: temía el fracaso que su cara le propinaría. Consideraba además el drama superior a la comedia. Pero una vez se vio obligado a aceptar, por falta de un cómico, el papel de gracioso: el público aplaudió entusiasmado. El azar le reveló su destino escénico. Desde ese instante representó exclusivamente papeles de gracioso. Fueron su carta de triunfo.

Se apartó del espejo: el lazo estaba listo. En verdad, como aseguraban sus contrincantes, había algo repulsivo en la seriedad de su cara. Puestos la levita y el sombrero de paño negro, su vestimenta estaba completa. Tenía por costumbre vestir del mismo color e idéntico corte. Cuando llegó al Tacón merodeaban algunos espectadores, el público de a dos reales la entrada, el que ocupaba la cazuela. Oyó aclamaciones y corear su nombre: Covarrubias, Covarrubias... Francisco Covarrubias, el gran actor cómico, estrenó esa noche *Los dos graciosos*, bailó y cantó como lo había anunciado. Entre el público se encontraba una artista extranjera, joven todavía y célebre, Fanny Elssler, quien acababa de llegar a la ciudad.

Hasta aquí la narración de los acontecimientos previos al encuentro de estos dos artistas tan diferentes entre sí. Algunos de sus pormenores aparecen en las páginas autobiográficas de Fanny Elssler y en la biografía de Covarrubias compuesta por José Agustín Millán, dada a la estampa a cortos meses de la muerte del actor, en 1850, nueve años después del encuentro. En su diario, Fanny Elssler recogió su impresión de aquella función de beneficio. Es una página reveladora. No queda otro testimonio de la manera de actuar del gran caricato que el trazado por la *ballerina,* página ignorada hasta hoy por la historiografía cubana. Hecha su traducción, la transcribo textual:

El habanero parece disfrutar de la farsa con vigoroso buen humor. La real simpatía gozosa, en su comicidad, mantiene mis nociones de su sana naturaleza. Cada incidente jocoso y divertido provoca sus exclamaciones regocijadas, jubilosas. Risas constantes recompensaron cada expresión y cada travieso equívoco. Se presentó un hombre muy anciano que fue el favorito del público durante la función. De él me dijeron que había perdido mucho de su elástico humor y boyante donaire chistoso, que lo hicieran irresistible en años pasados; sin embargo, conservaba todavía su maestría: de una simple mirada convulsionó la sala. Al instante adiviné su encanto o sentí su embrujo y percibí la fuerza que emanaba de él; su poder para provocar la risa residía en su cara, mientras cada músculo se mantenía rígido, su penetrante humor, que tocó nuestro regocijo en sus escondrijos más recónditos, obtuvo una victoria absoluta. A menudo, sin conocer una palabra de cuanto decía, reí con tanta fuerza como toda la sala. ¡Qué misterioso el don de este cómico! ¡Cuán misterioso el don de hacer reír! A muy pocos actores he visto con tal don, en toda su genuina inspiración y riqueza.

Conmueve imaginar este encuentro. Si Fanny Elssler no escribe el nombre de Francisco Covarrubias, no cabe duda de que era él. ¿Quién otro podía ser? Había envejecido y comenzaba a perder sus facultades histriónicas, seguía dando sus beneficios, el público aún lo adoraba. Coinciden el día, la fecha, el teatro, el entusiasmo. Falta sólo el nombre. Pero no es necesario especular: ese actor envejecido, de rígida cara, de seriedad cómica, no es otro que Covarrubias. Quedan estas líneas fervorosas como único testimonio de su actuación perdida. Ella, a su vez, fue elogiada por Covarrubias en unas décimas. Lo hizo a su manera jocosa: reconoció el éxito de la *ballerina,* que llenaba el Tacón desde su debut, anunciando que con el fin de atraerse nuevamente al público trocaría nombre y sexo: desde ese momento sería Fanny Elssler.

LOS ESPEJOS

En nuestra vida el espejo es un objeto privilegiado. Se halla en cada casa y en diversos lugares. Hay paredes revestidas de espejos y aparecen de pronto detrás de las puertas. Se viaja con ellos. Pueden ser diminutos o inmensos, humildes o lujosos. Los bailarines se miran sin descanso en el espejo del salón de clases, comprueban el acierto de un paso o rectifican el *arabesque*. Sirven a los choferes: el peligro del tránsito se refleja en su cristal plateado. Levantadores de pesas y esgrimistas observan en ellos el desarrollo de sus destrezas, o en el salón de ensayos, los actores buscan en su azogue el personaje que se proponen interpretar. El bebedor los encuentra al alzar la mirada, detrás de la barra de los bares. Brillan en la punta de un instrumento de dentista, secretamente dentro de la cámara del periscopio o del rayo láser.

Al levantarnos de la cama y dar inicio al rito matinal, cuando entramos en el cuarto de baño, el espejo constituye un componente del rito. Modesto ritual, pero diario, y que con frecuencia se repite durante el resto de la jornada. Cada mañana cumplimos, de manera automática, una parte del rito: mirarnos en el espejo. Es una parte de la ceremonia, previa a las labores importantes del día. En el cuarto de baño, como luego en el comedor, estamos obligados a realizar un rito particular, inconsciente o mecánico. En él usamos el espejo, colocado casi siempre encima del lavabo.

Pero el objeto, el espejo en sí, como el teléfono o la grabadora, escapa a nuestra atención. Queda oscurecido por el uso. En la vida diaria usamos las cosas, trabajamos, hacemos algo con ellas. De las cosas nos servimos —el espejo, humilde servidor del hombre—, y esta acción nos oculta su presencia real. Al escribir ahora apenas percibo la presencia de la máquina, que traza obediente las líneas en el papel. Simplemente la uso. Es un utensilio, su ser está dado por el uso. La manera de ser del espejo es su utilidad. No obstante, si ocurre algo que anule el rito, el espejo se torna presencia meramente real. Adquiere su realidad física, independiente de su carácter de útil.

Pienso en un plato. Para que se convierta en objeto real, en presencia, tiene que perder su relación habitual conmigo. Si aparece colgado en la pared, no lo uso. Es un adorno. Se produce un cambio en mi referencia, realizo un esfuerzo mental: el plato no es un plato de comer, sino de adorno. Se ha roto la costumbre, el plato ha dejado de ser cotidiano y ahora *es*.

Si sucede un pequeño percance en el cuarto de baño, se apaga la luz de improviso y el espejo emite un reflejo inusual, su infalible funcionamiento se detiene un instante y duplica mi imagen con vaguedad desacostumbrada, miro al espejo en vez de mirarme en él: se ha roto el encadenamiento del ritual. El espejo se independiza de su utilidad, del orden que ocupa en el rito matinal. Es ahora un objeto real, una presencia.

Si en lugar de apagarse momentáneamente la luz, me han dicho algo reciente de los espejos, de su historia y fabricación, que en la Antigüedad eran objetos mágicos, servían para invocar apariciones o conjurar el pasado, multiplicaban el alma o que eran para Max Scheler, el filósofo, imagen del pensamiento, instrumento de autocontemplación tanto como reflejo del universo, lo miro y, al menos por una vez, lo descubro de otro modo, rota la relación cotidiana, el ritual, y establezco con él una relación diferente a la de cada mañana.

Hagamos esto ahora. Acerquémonos al espejo y, en vez de mirarnos en su cristal, en sus aguas profundas, en los oscuros y luminosos azogues sin fondo, contemplémoslo. O mejor, como Alicia en el relato de Lewis Carroll, entremos. Si en ciertos cuentos chinos se sale del espejo, entremos nosotros. Pasemos al otro lado para realizar un corto viaje desde el presente hasta su remoto origen. (En el *Orfeo* de Jean Cocteau el poeta atraviesa el mundo especular. En *La bella y la bestia,* aquella recibe noticias del exterior o la bestia noticias de la amada, al igual que los magos persas, mediante un espejo encantado.) Pasemos a otros lugares, abandonando el cuarto de baño, gracias al artificio. Ocurre en Xavier de Maistre: comienza un viaje limitado al perímetro de su cuarto, y luego, a medida que describe los objetos y traza su historia, el lector de su libro abandona la habitación y se desplaza —involuntariamente— a otros lugares y a otras épocas.

Ya dentro del espejo, iniciada nuestra travesía hacia su origen, percibimos una especie de papel plateado, fino y quebradizo. Un fragmento, cuando entramos, queda como una gota en la yema de los dedos.

¿De qué se trata? Es la lámina que recubre el vidrio por detrás. La mayoría de los espejos actuales, aunque los creamos azogados, son plateados en realidad. La invención del plateado, como tantos inventos, se atribuye a la casualidad. En 1835, J. von Liebig calentó una disolución amoniacal de nitrato de plata con alcohol en un vaso de vidrio. Descubrió entonces que en el fondo del vaso había quedado un depósito brillante de plata metálica. Se inclinó y vio, moderno Narciso, reflejada su cara. Cinco años después dio comienzo el plateado industrial de los espejos. Azogarlos, aplicar una capa fina de amalgama de estaño o alinde en el reverso del cristal, era más antiguo y, desde la industrialización del plateado, fue cayendo en desuso.

Continuamos viaje. Pasamos, entre resplandores, ante el múltiple esplendor de los grandes espejos venecianos, y luego ante los espejitos, casi borrosos, que los humildes colgaban en el dormitorio de sus casas. Llegamos a una gran colección, quinientos en total y de varios tamaños, que el rey Luis XIV atesoró, enamorado de los espejos o de la reproducción de su figura, casaca galoneada de oro y encrespada peluca, en los azogues infatigables, enmarcados de rica orfebrería, y nos detenemos un instante en los pequeños de plata bruñida, usados a la par que los de vidrio. De bolsillo o de cinta, acudían presurosos —el espejo no demora la devolución de la imagen— en auxilio de la dama empolvada que había perdido, en el vértigo del sarao, sus lunares postizos. Otros de bronce, muy pulimentados, fijan nuestra atención: los médicos se valían de ellos para conocer la detención del aliento aplicándolos en la boca de los moribundos.

Más adelante, o mejor, hacia atrás, vemos diminutos espejos de cristal de roca, forrados con hojas de metal precioso, amontonados y chispeando en la oscuridad. Se supone —en esto no hay certeza alguna— que fueron los primeros en construirse de vidrio. Francisco de Valois gustaba regalarlos a sus amantes. Eran infieles: daban una imagen de engañoso colorido. ¿Serían para el rey francés una metáfora del amor cortesano?

Muy abiertos los ojos buscamos la continuidad, el resplandor. Pero se ha ido amortiguando. La penumbra, como si avanzáramos por un túnel iluminado con escasas velas, se torna densa. Nos sorprenden, a semejanza de un viejo bazar, estatuillas apiladas que alzan en sus manos o sostienen en las cabezas discos sombríos y oxidados, formas alargadas de mangos de marfil y superficies opacas, herrumbrosas al tacto. Parecen negarse a reproducir el mundo, como si velados sirvieran de compañía sentimental a la desaparición de caras, cuerpos, vestidos y adornos que multiplicaban atareados en un tiempo extinguido. A su vez ellos, fieles servidores, como su época, han terminado. Nada tienen que vigilar ni duplicar. Al desaparecer el mundo que reflejaban, han desaparecido con él.

La sociedad romana tuvo la pasión de los espejos, quizá como una manifestación de la intensa preocupación que tuvo por sí misma, o uno de los modos, sin duda un tanto baldío, de apoderarse del mundo conocido duplicándolo. Incluso en las vajillas, platos, tazas y jarros, incrustaron los romanos espejos diminutos. Los comensales asistían a la multiplicación infatigable del ambiente que los circundaba, de sus propios ojos *y* sus propias manos. Este intercambio espectral de reflejos formaba, según dijo Plinio, un verdadero *populus imaginum*.

Poetas, moralistas y filósofos dejaron constancia de este culto del espejo. Séneca, acorde con sus principios estoicos, se propuso obtener de dicho culto un provecho moral. Como los espejos se inventaron por el hombre, según el mismo Séneca, para conocimiento del hombre, el filósofo aconsejaba a quienes se detenían ante ellos, si eran hermosos, evitar lo degradante y recordar la brevedad de la belleza exterior, compensar con virtudes, si eran deformes, su fealdad. Los jóvenes, a quienes el espejo mostraba la edad florida, debían aprender que el momento de realizar brillantes acciones había llegado. Para el anciano, la renuncia a la deshonra de su vejez y la advertencia de la cercanía de la muerte. En ella debía pensar, el ánimo tranquilo, y prepararse a morir.

Los antiguos ignoraron las preparaciones modernas para que el cristal reprodujera lo que tenía delante. Sus espejos de cristal ornaban tan sólo las paredes, incapaces de reflejar con exactitud la realidad. Los egipcios conocieron la técnica de fabricar el vidrio, pero no llegaron a obtenerlo incoloro. Los romanos tenían espejos de cristal del tamaño del cuerpo humano, cubierto el reverso por una delgada capa de plomo o estaño. Sin embargo, Plinio nos ha advertido que la imagen reflejada parecía una sombra. «Se distinguen los rasgos, pero no los colores: es más bien una representación oscura del objeto.»

Detenidos ante los espejos de metal, corroídos y ciegos, nos preguntamos cómo podían estos metales —oro, bronce, plata— reproducir una cara de mujer, la belleza o la fealdad efímera de un cuerpo. No parecen capaces de reflexión. Y sin embargo en Etruria, en Grecia, en Micenas, resplandecían pulidos. Incansables imitadores en su labor de duplicar la realidad, casi la devolvían con tanta destreza como nuestros espejos plateados. La superficie de los espejos de metal estaba pulida con gran esmero. (Griegos y etruscos se miraban en la cara convexa, la cóncava se decoraba bellamente.) Pero se empañaban con facilidad. Para frotarlos y mantenerlos brillantes y pulcros, colgaba de ellos una esponja y un pedazo de piedra pómez.

Es lo que falta a los de metal que vemos en la última etapa de nuestro viaje. Faltan la esponja y los polvos de piedra pómez. Falta —inevitablemente— el ser humano que, antes de mirarse, ha de bruñirlos. Por eso nos causan esa impresión de opacidad e impotencia. Estrechamente entrelazados con el mundo que imitaban, con los ojos que los miraban y eran a la vez mirados, ya han dejado de parecernos espejos. Han vuelto a ser pedazos de oro o plata, turbios bronces vanos.

Otra vez de regreso en el cuarto de baño, iniciamos el ritual mañanero. Inmóvil, y quizá paciente, se deja usar el espejo, como el agua, como el lavabo.

EL ESPEJO EN EL TALLER

Años atrás, en 1965, durante los meses que viví en Londres, pasaba varias horas en la Galería Nacional. Vagaba por sus salas, iluminadas con luz artificial y climatizadas con una temperatura apropiada para la conservación de sus tesoros, y me detenía en aquellas obras que más me gustaban. Como los visitantes asiduos de las galerías, realicé con el tiempo mi selección personal, y antes de abandonar el edificio, avanzada la tarde, volvía a contemplar por un rato *El matrimonio de Giovanni Arnolfini*, y luego me internaba en otra de las salas para despedirme del lienzo de Velázquez, *Venus y Cupido*. No había entre ellos —ciertamente— nexo estilístico o formal. Ni siquiera el tema los acercaba. Aunque el pintor español aprendió de los maestros de la escuela flamenca, tanto como del italiano Correggio, lo separaban de Jan van Eyck, autor del otro cuadro que venía de admirar, casi dos siglos. Sólo mi curiosidad por un objeto establecía entre esas pinturas un lazo secreto. En las dos había un espejo, y en ambas era primordial.

Van Eyck y Velázquez, al igual que después Picasso, sintieron la atracción de los espejos, la silenciosa llamada de sus aguas. En varios de sus cuadros han dejado constancia de esta atracción. Con insistencia el espejo aparece en sus obras. Lo emplean en diversos sentidos, con variados fines: duplicar la dimensión de los interiores para que se miren en ellos los

41

personajes de sus retratos, para mirarse a sí mismos, autores inmersos como observadores en el ambiente ajeno, o con el fin de resolver problemas de perspectiva... Los historiadores de la pintura poco o nada se han detenido en este hecho singular: el espejo, en apariencia insignificante, objeto menudo entre muchos otros, es sin embargo componente importante de ciertos cuadros. Interesados en las grandes generalizaciones, no reparan en el humilde espejo, en el que a diario se miran por lo menos una vez.

Tuvo Arnold Hauser, por ejemplo, un propósito feliz: historiar el arte desde el punto de vista social. Y así llamó a su historia, tan célebre. Pero en verdad suele su intento quedarse en mera promesa, el sugestivo título en título sólo. Páginas de esa «historia social» están por escribir. ¿No hubiera sido realmente social detenerse en el precio que pagaban por un cuadro, en el costo de las telas y los pigmentos? Tampoco Hauser repara en los espejos. Su lector ignora si eran de vidrio y reflejaban la figura con precisión o de manera borrosa, por qué se usaban en las casas flamencas, objeto habitual de la alcoba, el comedor u otras estancias. Indagar las consecuencias y el origen de estos hechos, su influencia en la pintura, habría sido más «social» que trazar grandiosas síntesis abstractas de movimientos y escuelas, aunque tal vez menos propicio al despliegue oratorio o las arias de coloratura.

Al igual que Velázquez se interesaba Jan van Eyck en el estudio de los efectos de la reflexión y en la manera de llevarlos a su pintura. Los espejos figuraban en su taller, en el de la ciudad de Lieja y en el de Brujas, ciudad en la que falleció en 1441. Pintores que se formaron a su lado, como Petrus Christus, o sufrieron su influencia tiempo después, como Quentin Metsys, se servían del espejo para realizar sus cuadros y lo representaban en ellos. Observador de su circunstancia, Van Eyck descubría en las casas que visitaba, en el palacio de los señores y en el local de los artesanos, la presencia inquietante de los espejos. En uno de sus cuadros famosos, *San Jerónimo,* la luz penetra en el cuarto de estudio del santo: la imagen de una mujer bañándose se refleja en un espejo.

Del mismo modo en que me demoraba en la Galería Nacional de Londres, detengámonos por un instante ante esta joya sin par: *El matrimonio de Giovanni Arnolfini*. Fue pintado en 1434, sobre una tabla pequeña de 84,5 x 62,5 cm., según reza el catálogo que conservo. De colorido rico y fuerte, tonos puros e intensos, la construcción es sólida, muy diáfana, y la perspectiva exacta. En cada detalle de la habitación la mirada ávida de Van Eyck se detuvo con amoroso miniaturismo. «Como puedo» era su divisa. Es decir, lo mejor que podía. Conocedor del óleo —se le atribuye su invención o su perfeccionamiento—, *El matrimonio...* conserva su brillo, un lustre que el tiempo parece respetar. Obra que, entre las suyas, fue de las más independientes: sin verse obligado a expresar la fulgurante majestad de los asuntos sagrados, ni a servir la vanidad de sus clientes y protectores poderosos, pintó libremente a sus amigos recién casados. (Dos veces retrató a Arnolfini. Un cuadro suyo que se encuentra en Berlín reproduce la misma figura, la misma cara, la menos italiana que se ha visto en el mundo. Al rico mercader de Luca lo llamaban en Flandes Jean Arnoulphin.)

Parece que el pintor acaba de abandonar la alcoba matrimonial dejando su firma como recuerdo en la pared del fondo: *Johannes de Eyck fuit hic,* 1434. Jan van Eyck ha estado aquí, dice la sorprendente inscripción. Entonces, realmente, ¿ha presenciado el atardecer que entra suave por la ventana encristalada, ha sentido la paz callada de la pieza, la delicadeza íntima que emana de la escena?

No olvidemos un dato histórico: muchos cuadros se componían con interiores imaginarios y paisajes añadidos posteriormente, que completaban la figura humana reproducida del natural. Colocaba el artista las cosas a su gusto, pintaba una alfombra donde no la había, disponía la posición de las figuras o el plegado de una tela. Nosotros, espectadores olvidadizos, al admirar estos cuadros padecemos una ilusión y los tomamos al pie de la letra. De esa ilusión nos desagrada curarnos: queremos que cada cosa dé fe, sea un testimonio fehaciente. (Nos ocurre lo mismo con los filmes y la fotografía: los tomamos como reales.) No obstante, en estas pinturas todo estaba previamente escogido y determinado por el gusto del pintor, por los requerimientos de su arte y, en múltiples ocasiones, por mandato expreso del cliente.

¿Sería un fondo imaginario la pieza de los Arnolfini? ¿Estarían realmente la cama, la alfombra y el perrito? ¿Y en el lugar en que aparecen en el cuadro? Esas manzanas, a las que otorga la luz delicado resplandor, tan bellamente dispuestas en el alféizar y sobre una mesa, ¿estarían ahí, ante la vista de Jan van Eyck?

Poco importa saberlo. Basta con tomar esta pintura admirable por lo que es, obra de arte y no documento fehaciente. Importa la revelación, casi palpable o táctil, que produce. Si es una representación naturalista, excesiva en su pormenor, es a la vez profundamente significativa, es decir, verdaderamente realista: todo lo transfigura en esencial.

Fiel a su pasión, plasmada en sus tablas de roble, Van Eyck examinaba el mundo —cielo y tierra, cuerpo humano, vegetación y minerales—, el producto de la mano y el volumen de las cosas, el espacio, que no parecían preocupar a sus predecesores. Por eso, antes de abandonar la alcoba de los Arnolfini y estampar su firma en la pared, ha dejado trazado con precisión el juego sutil de las transiciones de la luz a la sombra, la gradación de los matices del color en la luz: el resplandor que el atardecer pone en una parte de la lámpara, dejando la otra en leve sombra, en la cara de los casados, en la rosa del cutis, carne casi luminosa, un toque apenas en el sombrero o en las zapatillas abandonadas. Quizá Arnolfini, para darle mayor intimidad a la escena, se ha descalzado, abandonándolas a un extremo. La luz del ventanal llega hasta el pelaje prodigioso del perrito a los pies de sus amos, que nos mira como a intrusos. (Probablemente debió mirar al pintor de tal modo al tenerlo parado delante.) Sobre la cama, la espalda de Giovanna Cenami deja caer una sombra tenue. Como objeto de un ritual, la cama ocupa gran espacio en este cuadro de tan pequeñas dimensiones.

Al centro de la habitación, bajo la lámpara, entre las manos entrelazadas de los esposos, cerca del ventanal, centellea en la penumbra doméstica un espejo de marco oscuro. ¿Se hallaba en verdad dentro de la alcoba nupcial de la pareja? Van Eyck, temprano en la mañana, con la finalidad de aprovechar la claridad del día, al entrar en la casa de su amigo llevando sus útiles de pintor, ¿se encontró el espejo colgado en la pared del cuarto y simplemente lo reprodujo?

Ya el hombre vivía rodeado de espejos. Los espejos, fabricados en Venecia, se vendían en toda Europa. Flandes era un país rico cuando existía Van Eyck. Las paredes de las casas estaban decoradas con espejos. Pero a su vez el espejo permitía ampliar en el cuadro la visión del espacio, duplicarlo, si es posible expresarme así. No sólo conocía Van Eyck los principios de la perspectiva, las leyes de la óptica —tal vez por observación empírica—, sino que buscaba otras posibilidades. Es conocida la vieja polémica entre la escultura y la pintura, considerada inferior. Como saben cuantos han leído el *Tratado de la pintura* de Leonardo, el pintor disponía de dos dimensiones, las que existen en el plano. Preocupados por representar las tres dimensiones del espacio, estudiaron arduamente las posibilidades de la perspectiva. Esta deficiencia era el gran argumento en contra de la pintura y en favor de la escultura. Van Eyck es de los primeros pintores en vencer la dificultad, pero también en buscar, acuciado por la polémica, nuevas posibilidades en el espacio reducido del plano.

El espejo le ofrecía una posibilidad apasionante.

En su taller lo imagino usando los espejos con el cuidado y el estupor, casi supersticioso, del alquimista al tomar en sus manos la redoma. Es fácil figurar que Van Eyck colgó el espejo en la pared del fondo o lo utilizó, si ya estaba, con un fin: que pudiéramos ver al matrimonio de espaldas.

(En la ejecución de este cuadro, como en muchos otros, se tiene muy presente al futuro espectador. Nosotros somos espectadores, pero también lo fueron los Arnolfini, que lo colgaron en alguna pared de su casa para verse a sí mismos convertidos en pintura, en objetos de contemplación. ¿No era un regalo de bodas de su amigo el pintor?)

Se trata de un espejo de cristal, convexo por la forma en que se refleja la ventana. En el siglo XV ya se fabricaban. Quizá la reproducción de la imagen resultara oscura. Es probable que estuviera formado por una lámina de vidrio recubierta con una delgada hoja de papel de estaño sobre la que se vertía mercurio. Estos espejos no eran muy claros, como fueron luego los plateados: una gran cantidad de luz se perdía en ellos. Sin duda el espejo que vemos en el cuadro era costoso: decoran el marco escenas de la Pasión que terminan con la Crucifixión de Cristo. Pero si nos aproximamos curiosos, como hacía yo en la Galería Nacional cuando el guarda se descuidaba, o con una lupa nos inclinamos sobre alguna reproducción, aparecen en el fondo del espejo, detrás de la espalda de los Arnolfini, dos figuras. Están delante de una puerta entreabierta. Hay un diminuto cuadrado de luz. En lógica naturalista, debía ser el propio pintor quien apareciera reflejado en el fondo del espejo. La crítica, un tanto distraída, ha clasificado este cuadro como ejemplo magnífico de naturalismo pictórico. El pintor sin embargo contradice en parte dicha clasificación. La habitación es iluminada por la luz de la mañana (o de la tarde, no es preciso), y está, no obstante, la única vela de la lámpara encendida. Tampoco vemos al pintor asomarse, sino a otras personas, moradores o criados de la casa, para observar la escena. En el espejo, no cabe duda, hay otro cuadro. Nuestra visión se multiplica. La pintura —definitivamente— gana la partida a la escultura. Van Eyck supera el plano bizantino: el espacio en su pintura se torna casi ilimitado. (Petrus Christus, su discípulo, pintará interiores minuciosos donde un espejo ovalado refleja la calle.)

No tan sólo se ha duplicado virtualmente nuestra posibilidad de contemplación, sino que se han multiplicado los espectadores. Si vemos la espalda del matrimonio, vemos a su vez a otros mirar lo mismo que nosotros miramos.

Como se encuentran más distantes, alcanzan a ver sin duda la espalda del pintor y su mano alzada trazando la escena, de la que ellos son también partícipes. Virtud de los espejos esta duplicación innumerable.

Tras las figuras que se asoman a presenciar el momento en que los amantes, con sosegada ternura, se toman de las manos y se consagran el uno al otro para siempre, se vislumbra, por la puerta de la habitación que han dejado entreabierta, una nueva posibilidad para los ojos: el resto de la casa.

EL EMBLEMA DE LA FLOR

Al salir de la tienda de libros viejos se detiene y abre la novela que acaba de adquirir. Una edición en formato pequeño, bastante conservada, de *Manon Lescaut*. Hojeándola encuentra de repente una flor marchita entre sus páginas. Por experiencia sabe que en libros de uso pueden encontrarse muchas cosas. Pero encontrar una flor marchita es la primera vez que le ocurre. Le parece un resabio de sentimentalismo, y a punto de arrojarla, la deja donde está sin embargo, ignorando el motivo. ¿Quién la habrá puesto dentro del libro del abate? Lo cierra suave y sigue calle abajo, por la calzada de Reina, *Manon Lescaut* bajo el brazo.

Sabe que aquellos con la costumbre de comprar libros viejos en los baratillos de las ciudades se exponen a estos hallazgos. En ocasiones adquieren libros tan cuidados y virginales como si no hubieran sido leídos. Quizá hay —esencialmente— dos tipos de lector. Uno frío y reservado, y otro vehemente, que deja en los libros que le han pertenecido huellas visibles de su trato. Ciertos ejemplares son víctimas de una discusión con el autor: encuentra advertencias e interrogantes, exabruptos inesperados. En franca rebeldía, el lector se arma de lápiz o pluma, y estampa —convertido un tanto en creador— urgentes señales opositoras. En otros le parece que el propietario del volumen se pone a conversar con el autor como si lo tuviera delante: «Dijiste todo lo contrario hace un rato, ¡so bruto!» O refiriéndose al protagonista de una novela, toma el ente de ficción por existente e impugna sus acciones: «Pío Cid: ¡aquí eres un mequetrefe!» Algunos no buscan más que el parecido con ellos mismos y en el acto lo subrayan, leyendo como ante un espejo de doble hoja. Otros se detienen en las trivialidades y son incapaces de ver la novedad. «Acostumbro juzgar a algunas personas —afirma Unamuno con notoria ironía— leyendo en los mismos ejemplares en que ellos han leído.»

Cuántas dedicatorias apasionadas ha encontrado en estos libros. Casi siempre escritas en letra grande, agresiva, queriendo con la energía del trazo destruir cualquier posibilidad de olvido. ¿Cómo, conteniendo tales dedicatorias, fueron a parar a un baratillo? ¿Quién de los dos, el destinatario o la mano amorosa que la trazó, se atrevió a venderlo después con tanta impunidad y alevosía? Al descubrimiento de estas dedicatorias, ya sin finalidad, puede agregar la carta olvidada u oculta, el talón de un pasaje o la entrada de un cine.

Con sus páginas marcadas de colores diversos, sus admiraciones secretas, dichas en el recogimiento de la lectura, escritas nerviosamente en los márgenes o en el blanco espacio que en ocasiones queda al fin de un capítulo, muchos de estos libros muestran a sus nuevos poseedores, entre los cuales se cuenta, haber salido con sus antiguos dueños a la calle, viajado en sus bolsillos, anochecido en sus manos y amanecido al pie de sus camas. Libros sobados que le gustan más que aquellos otros intactos, que sin duda evidencian un gusto por el cuidado y la pulcritud, pero que deparan menos sorpresas. En ellos nunca hallará una flor marchita.

Sentado en un banco del parque de la Fraternidad repasa las páginas del tomito del abate Prévost. Nada más delicioso que ir como violando sus páginas con la vista diestra, repasar el tamaño de la letra, la composición de los párrafos... Y de pronto otra vez la flor inusitada hacia la mitad del tomo. Colocándoselo en las piernas, lo deja abierto y la considera. Es un jazmín. Con el dedo recorre el tallo y las hojas secas. El tiempo, y el estar encerrado, le han dado una delicadeza casi volátil. Los pétalos, a una leve presión de sus dedos, podrían deshacerse de inmediato.

Si es un jazmín, ¿de qué especie? Hay en Cuba el llamado jazmín de Arabia, el criollo, el francés, de flor más recogida y gruesa que este, o la diamela, cuyos tallos tienen hojas redondas de dos en dos y la flor blanca. Por el color de los pétalos es imposible identificarlo: ahora es amarillo y no huele. Si las hojas, que duran casi intactas, son redondas, le parecen demasiado gruesas. Y resulta cómico que sabiendo tan poco de botánica, se haya puesto como un naturalista a descifrar la especie del jazmín. Sus ojos buscan en los jardines del parque alguna flor parecida sin encontrar ninguna. Ni semejante ni distinta: los jardines habaneros apenas tienen flores. «Eres jazmín del Cabo porque tu flor es grande, blanca amarillosa similar a la altea, tus hojas gruesas, y debiste de oler con fuerza...», termina por clasificar su especie para salir del aprieto.

¿Tendrá algún significado este jazmín del Cabo en las páginas de una novela cuya protagonista tiene final tan desdichado? Quizá esté unido a un recuerdo sentimental, al paseo de dos enamorados. Él se inclinó, cortó el jazmín, y ella, tras olerlo, lo guardó en la novela. Esta imagen lo hace sonreír por su cursilería. Queremos estar de regreso de los sentimientos, estar advertidos y lúcidos. Un simple gesto «picúo» nos llena de pavor. Y sin embargo, también lo recuerda, cortó jazmines. Villiers de L'Isle-Adam cuenta que en su tiempo, allá en el siglo pasado, las jóvenes enamoradas guardaban en relicarios los pétalos de las flores que sus novios les ofrecían y los llevaban sobre el cuello. Cada vez que abrían el relicario, el momento de dicha se hacía presente. Encontrar el jazmín en *Manon Lescaut* produciría idéntica recordación. El pasado ha establecido, al parecer, un nexo con el objeto material o el objeto se ha impregnado de su esencia, y se integra a la sensación que la presencia del jazmín es capaz de provocar. El pasado se oculta en la flor, y es vano intentar evocarlo mediante la voluntad o la inteligencia. Encontrar por acaso de nuevo el jazmín, disecado pero duradero, renueva el hecho pasado, lo despierta, testimonio que el dueño (o la dueña) del libro sabrá interpretar. La flor es su emblema.

Como si el jazmín del Cabo que descansa sobre sus piernas avivara sus propias memorias personales, asociación singular o vasos comunicantes, entre sus lecturas aparecen dos momentos marcados por la presencia de la flor.

El primero lo reconstruye de este modo: durante una excursión por los Alpes, abrumado por la vejez y las vicisitudes, Juan Jacobo Rousseau se inclina casualmente y recoge una pervinca, planta semejante a la adelfa, de flor rosada, y al reconocerla exclama lleno de gozo: *«Ah, voilá la pervenche.»* Con ardor la oprime contra sus labios y los ojos se le llenan de lágrimas. Treinta años atrás, paseando con su amante madame de Warens, había recogido la misma especie. El tiempo transcurrido borró de su memoria esta circunstancia enlazada a la pervinca. Madame de Warens, a quien tanto amó, ya descansa en la tumba. Una flor, pequeña y débil, hace retroceder sin embargo la pesada rueda del tiempo: mientras dura un segundo, el viejo filósofo desolado puede aspirar la frescura fugitiva de las horas dichosas de su existencia.

El otro lo rememora de este modo: tiene por marco el frío cuartico, mal iluminado, de un pueblecito de la costa británica. En él vive retirado Guillermo Enrique Hudson, después de nacer y habitar más de treinta años en la tierra argentina. Dentro de una maceta, cercana a la mesa donde redacta las memorias de su infancia, está sembrada la planta que da la flor llamada Buenas Noches, porque abre su corola al oscurecer. La ha traído de la Argentina, y basta a Hudson respirar la fragancia de sus pétalos delicados para evocar su niñez en las pampas distantes, «como quien pasa una esponja húmeda sobre la superficie de una pintura que el tiempo ha vuelto opaca».

En tanto mira furtivamente el diminuto jazmín amarillento, en estos dos momentos recordados resalta la significación que la flor alcanza en la vida humana. Adorno de los jardines, de la mujer y de los dioses, pintada sobre lienzos, reproducida en tarjetas postales, ornamento de piedra en la fachada de templos y edificios, cantada en poemas y canciones, rosa de los vientos, náutica o mística, de órdenes de caballería, sectas religiosas o secretas, nombre de astros y asteroides. Ha visto con flores decorar tazas y platos, y en la cerámica de Cholula, grabada en el fondo de las ollas, flores negras sobre amarillo.

Ha leído en Alfonso Reyes que para los aztecas es uno de los veinte signos de los días, y de lo noble y precioso. Brota de la sangre del sacrificio y corona el jeroglífico de la oratoria. En las esculturas del valle del Anáhuac, en barro o piedra, aparecen flores sin hojas, como atributos de la divinidad.

Anuncio de la llegada de la primavera y de la luz. Sobre la novia que va a desposarse luce el azahar entre los blancos velos. En el jardín hechizado de la maga Armida son imperecederas. La doncella es una flor secreta. Un pájaro exhorta a los amantes a no dejar que se marchite. Y los antiguos romanos en sus banquetes coronan sus sienes y adornan con ellas el vaso en que beben.

Como sucede con las plantas eróticas, la flor es signo doble o contrario. Griegos y romanos cuelgan guirnaldas de flores en las tumbas, y al borde de los sepulcros, en los cementerios actuales, se plantan rosas. El visitante de los enfermos las deja en el velador de la cama de los hospitales. Descansan como despedida sobre los ataúdes y caen como tributo en las fosas recién abiertas.

Sus pétalos producen medicamentos, bálsamos y esencias. Pueblos los maceran y comen. Hay empanadas de rosas, hay países florales: Holanda y Bulgaria. Piensa que la rosa, a semejanza del perro, es casi una creación humana: mediante injertos y cruzamientos el hombre ha obtenido, con cuidado y paciencia, varias nuevas especies.

Le complace suponer que el hombre primitivo, al comienzo de la historia, las mira con asombro, desconcertado por su frágil belleza. Completamente desinteresadas, se dejan contemplar y admirar, ni se oponen a ser cortadas.

¿Qué ideas sugirieron a este hombre? Recuerda arcaicas reliquias, la antigua poesía escrita, las mitologías. Ha heredado de los griegos inquietantes mitos florales: el de Narciso, el de Clitia, exquisitamente patético. Abandonada por Apolo, al que ama y por quien ha cometido un crimen horrible, se deja morir de abandono sobre la tierra, la mirada puesta en el astro inclemente. Compadecido el dios con su muerte, la transforma en girasol. O los mitos florales de Jacinto y Perséfona, el fúnebre mito de Adonis, víctima del jabalí durante una cacería. Su amante Venus, enloquecida por el dolor de la muerte, riega la tierra con la sangre de su cadáver: tal fecundación hace brotar una flor, la anémona.

La Antigüedad conoce célebres jardines exóticos en Egipto, en Babilonia, en la India. Semíramis, cuando la agobia el terror de ser destronada por sus enemigos, busca la libertad, el ambiente inocente y balsámico de los jardines, y pasea por ellos en procura de la calma entre las hermosas rosas de Asiria. Asombrados recorren los españoles de Hernán Cortés los vastos jardines de Moctezuma.

Cuando los cronistas de la conquista y primeros tiempos de la colonia, deslumbrados ante las flores de estos jardines, se refieren a las rosas, él sabe que se equivocan: nunca las hubo en el México precortesiano. ¿Pero de qué manera nombrar esas grandes, primitivas, misteriosas flores para hacerse comprender por el lector europeo? Tan sólo mediante aproximaciones, comparando lo conocido con lo ignorado: el clavel de España, de equilibrio perfecto, con el que llamaron clavel de las Indias por cierto parecido, pero desordenado y violento, color amarillo, símbolo de la muerte entre los aztecas.

En la poesía de José Martí encuentra dos flores emblemáticas: la del sueño y la rosa blanca. En otro tiempo la flor de lis, tatuada en el brazo, estigmatiza a la mujer pública. Con flores se va a la iglesia y al baile. Orquídeas cultivan los mexicanos en jaulas colgadas de los árboles, tan semejantes a los pájaros que se extraña el visitante no lo saluden con un gorjeo. Las gitanas muerden un clavel con sus dientes al taconear.

Su abuelo, vestido siempre de traje negro, lleva un botón de clavel en el ojal, Frida Kahlo, en sus autorretratos, un tocado de buganvilias frescas: rojo borbotón jubiloso sobre la frente.

Ha leído en Balzac esta sentencia: «Gentes que no compran pan, a menudo compran flores: constituyen la felicidad momentánea de quienes no son felices.»

La ausencia de flores en la vida de los negros esclavos llena de triste desasosiego a la condesa de Merlín. «Los esclavos casi nunca cultivan flores: cuanto es placer en la vida se halla lejos de su alcance y aun de sus deseos.» Para cultivar flores, dice luego la señora condesa, es necesario tener dentro de sí un poquito de felicidad. Al unir la felicidad y la flor, su pensamiento se asemeja al de Balzac, y más aún cuando afirma que «las flores son el lujo de los pobres». Al ver la modesta maceta de albahacas adornar la ventana de los desvalidos, experimenta una sensación singular: a pesar de la pobreza están en posesión de un goce, no son enteramente desdichados. Le gusta recordar esta expresión de la Merlín. ¿Será influjo de la esclavitud que el cubano se interese escasamente por las flores?

La emoción ante ellas, primaria y constante, no es raro que caiga en ridículo o puerilidad: existe un «lenguaje de las flores», diversión de mujeres ociosas o señoritas quinceañeras: la adelfa, seducción, y el clavel rojo, amor ardiente. ¿Tiene usted un corazón todo inocencia? Su flor es la azucena. Otra cursilería, a la que fueron asiduos los románticos: el jardín florecido bajo la claridad de la luna que el amante solitario recorre envuelto en una capa negra.

Si la flor es azul, es símbolo legendario de lo imposible, como figura en *Enrique de Ofterdingen,* novela que dejó inconclusa Novalis, y si es roja, de la pasión y la sangre. Ha oído en ocasiones destacar esta contradicción muy del gusto del hombre: en los pantanos pestíferos nacen fragantes flores, y en los légamos, muy blancas.

Las floristas, en el París de la época de Villiers, finalizados los entierros, dan una vuelta por el cementerio al atardecer y se llevan las flores de los sepulcros. Las avivan con destreza y componen preciosos ramos. A la salida de los teatros o del concierto los venden a los caballeros que se hacen acompañar de lindas mujeres. Estos, tras adquirirlos sonrientes, los prenden en el vestido de sus compañeras. Villiers, aficionado a los contrastes agudos, subraya el emblema: llevan flores de la muerte, como el amor que reciben y ofrecen.

La Avellaneda muestra en *La hija de las flores* una reacción curiosa: la madre de la protagonista de su comedia siente horror ante cierta especie: su presencia despierta en ella recuerdos terribles. Cuando Odette de Crécy luce una orquídea en su corpiño en la novela de Proust, su amante Swann descifra el mensaje secreto: esa noche podrá acudir a su casa para amarla.

A estos recuerdos y enumeraciones se une a continuación la que le parece, de entre las diversas relaciones del hombre con la flor, la más misteriosa y complicada. La ha contado Fernando Benítez en un párrafo memorable. Una noche de tertulia con unos amigos, sentados en el corredor de una casa, empieza a sentirse inquieto, con la inquietud de una persona que se siente observada, hasta el punto de volver la cabeza. Así lo hace, y descubre una de esas magníficas flores tropicales meciéndose sobre su tallo. Naturalmente no da importancia a ese furtivo gesto de seducción floral. «Días más tarde, cruzando de noche el mismo corredor, volví a sentirme atraído por aquella misteriosa y desconocida fuerza. ¿Había olvidado alguna cosa? ¿Alguien se ocultaba entre las sombras de las grandes plantas que oscurecían ese tramo del corredor? Me detuve y miré. Una flor de carnosos y afelpados pétalos, manchados de amarillo, se levantaba en su tiesto, solitaria y espléndida.»

Despacio cierra su ejemplar de *Manon Lescaut*, en el que permanece el jazmín disecado. Piensa en la clave del emblema floral: aludir a lo que no está expreso ni podría expresarse tampoco. La flor enriquece el lenguaje. Es otro medio de comunicación. Si el hombre comunicara —directamente— lo que intenta decir con la flor, perdería su densa riqueza, la alusión múltiple y su sistema de implicaciones. El lenguaje no agota la posibilidad de expresión humana. Matices y tonos desconcertantes e innumerables, completamente inefables, carecen de palabras o necesitarían miles —en ocasiones contrarias— para expresarse. No existen nombres para las cosas, ha leído en Valéry, en medio de las que nos hallamos más verdaderamente solos. En tales instantes la flor se adelanta y dice algo múltiple y complejo. Lo dice a su manera de flor. El hombre la ha impregnado con muchos de sus diversos anhelos, gustos e incertidumbres. Está formada de palabras, pero no dichas, inexpresables por nuestras gargantas o nuestros alfabetos. Y la relación se completa: si el hombre las impregna, las flores lo impregnan. Algo hay en ellas y algo hay en nosotros.

De pie, se coloca nuevamente *Manon Lescaut* bajo el brazo y emprende el regreso por la calzada de Reina. Le parece sentir la presencia silenciosa del jazmín, como si latiera dentro del libro.

¿POR QUÉ GUARDAMOS REVISTAS?
EL COLECCIONISTA: UN TIPO MÁS

El hombre, afirmó Aristóteles, es un animal político. Otros han dado diversas definiciones: *homo sapiens, homo faber.* Cada una relaciona al hombre con los demás animales. Es un vínculo persistente en las ciencias humanas. Definir es también establecer contrastes. Algunos estudiosos, en particular los que se dedican a las ciencias biológicas, enfatizan el parentesco entre el hombre y los llamados animales inferiores. Sin negar la naturaleza animal, los estudiosos de las ciencias sociales tienden a subrayar las diferencias. El hombre es único en su género.

Aristóteles apuntó diferencias. Dijo el Estagirita que el hombre es el único animal que tiene palabra. No voz, sino palabra. La voz la tienen también otros animales. Con ella manifiestan su placer o dolor. La palabra expresa lo conveniente o lo dañino, lo justo o lo injusto, y es exclusivo del hombre el sentido del bien y de lo injusto, del mal o de la justicia.

Así, de acuerdo con la tendencia a la distinción, el hombre es el animal que trabaja y puede hacerse una idea anterior a la realización de su trabajo, es el animal que fabrica herramientas, cuya mano, como destacara Engels, tiene una importancia decisiva en el transcurso de las etapas que lo separaron de los primates. Inventa una técnica y la perfecciona con el tiempo, es el *homo tecnicus*. Crea símbolos y tiene buena memoria. Sólo el hombre ríe, y sabe que un día morirá y construye su propia tumba. Le gusta mirarse en los espejos, en las fotografías y en los tratados de sicología que él mismo escribe. Es el animal que aborrece copular con su madre o con su hermana. Escribe el *Edipo* para contar a otros hombres el horror moral de esta copulación. Narra su historia, levanta monumentos que lo recuerden o perpetúen. En sí mismo reconcilia las dos tendencias, que antes ha separado para estudiarse: es natural y social a la vez. Tiene la condición doble. Es producto de la naturaleza y producto de la cultura.

A las distinciones que lo separan del mundo animal me gustaría agregar otra a título de curiosidad: la del coleccionista. El hombre guarda cosas, las busca, las recolecta y las ordena. Que sepamos, ningún otro animal tiene esta afición (o esta necesidad). Debe de ser muy antigua. Hubo la etapa recolectora, en la comunidad primitiva, de vegetales y frutas. Sin duda el desarrollo de la producción ha propiciado el incremento del afán humano de colectar. Lo digo humorísticamente. Pero en el coleccionista, como en la alquimia para la química, debe buscarse el origen de ciertas ciencias. La paleontología o la arqueología, supongo. Cito un ejemplo literario: Walter Scott, creador de la novela histórica, era un anticuario apasionado. Su casa estaba plagada de objetos, piedras y antigüedades de su pueblo de Escocia. En algunos fundamentó sus ficciones.

Existen coleccionistas de diversa índole. Los que coleccionan objetos de valor artístico, cuadros o abanicos. Los que tienen inclinación científica y coleccionan mariposas o caracoles. Otros, curiosidades, relojes u objetos raros. Ramón Gómez de la Serna coleccionaba ceniceros. La escultora Jilma Madera, jarras de barro. Dulce María Loynaz, trajes típicos de los países a los que viajó. Encajes, Georg Simmel. Para él representaban «la más alta espiritualización de la materia». Víctor Hugo no sólo escribía extensas cartas a su mujer dándole cuenta de sus excursiones por los Alpes y los Pirineos, sino que dibujaba a pluma sobre el terreno, recogía en los bosques y en los montes flores y hierbas, y las unía como ilustraciones de sus cartas. De sus múltiples viajes, Chateaubriand traía pequeñas posturas de árboles y las sembraba en la tierra de su castillo. «Las recogí de los diversos climas que he recorrido; me recuerdan mis viajes y alimentan otras ilusiones en el fondo de mi corazón.» Estos dos minuciosos viajeros no conocieron la fotografía, inventada varios años después. Actualmente la cámara suple las hermosas plumillas de Hugo. Una tarjeta postal de diez centavos, impresa al por mayor, sustituye la presencia real de los árboles plantados por Chateaubriand. El recuerdo se ha vuelto menos táctil y más visual, se envía por correo, no huele ni crece. Conservar un recuerdo se ha hecho más pobre para algunos sentidos, más barato y masivo.

Con la impresión de revistas, generalizada en el xix, se produjo un nuevo objeto, y surgió el coleccionista. Me refiero —creo haberlo dado a entender desde el comienzo— al aficionado, a quien colecciona para su uso particular y su propio deleite. Sé que las bibliotecas públicas y los centros de documentación atesoran grandes hemerotecas organizadas y procesadas. Sé, además, que las bibliotecas son muy antiguas, y quizá comenzaron por los aficionados a guardar documentos. El origen de una biblioteca pública, como la del rey Asurbanipal en la remota ciudad de Ur, es una biblioteca privada. El rey caldeo, hombre de gran crueldad para con sus súbditos según cuentan historiadores, tenía la pasión del coleccionista. Sus escribas copiaban en tablillas de barro todos los documentos que lograban recopilar. No obstante aquí me interesa el coleccionista que continúa, pese al desarrollo de los centros de información, coleccionando tranquilamente, como si aquellos no existieran. Me interesa el coleccionista nato, no las instituciones.

He conocido varias personas que guardan revistas. En el mundo moderno, civilizado, comprar y leer revistas es, hasta hoy, un hábito muy extendido. Sobre todo en la gente de las ciudades. El campesino, aunque sepa leer y escribir, no es, por lo general, consumidor de revistas. Quizá por falta de divulgación. Le interesa más el periódico o escuchar la radio. Pero si en las ciudades se compran y leen revistas, contados consumidores las guardan. Se deshacen al poco tiempo de ellas. Las tiran a la basura o las revenden.

Por lo regular, el coleccionista de revistas conserva un título o dos. Su pasión no se extiende a todas. Entre los que he conocido, el mayor número se interesaba en atesorar revistas de variedades, *Bohemia* o *Carteles.* O revistas de la misma materia, como el *Geographic Magazine,* con abundante material fotográfico de países distantes, envueltos en una encantadora (y pueril) atmósfera de exotismo.

Convendría insinuar algunos rasgos de estos coleccionistas. Por lo general son desinteresados. El que atesora revistas por razón de su oficio, porque es arquitecto o médico, no es en esencia un coleccionista típico. Puede tener ciertos rasgos, y quizá fue un auténtico coleccionista al principio. En rigor se colecciona por nada, inútilmente. No se vive de ello. Es un placer, una diversión sin finalidad inmediata ni aparente. (Quizá matizado de vanidad o del deseo de figurar socialmente.) Para un real coleccionista, vender una pieza de su colección, regalarla o incluso prestarla por unos días, es una desgracia o una preocupación lacerante. Como ocurre al primo Pons en la novela de Balzac: apenas se puede vivir después de haberlo hecho. Las revistas, que cuestan poco, sin embargo adquieren a sus ojos un valor incuestionable y extraño. Pueden tenerlas, aunque resulte contradictorio, arrumbadas en cualquier lugar o en un closet, anudadas con sogas, amontonadas en el garaje, pero las tienen ahí, al alcance de la mano, en su poder. Podrán verlas cuando lo deseen.

Esto es lo decisivo: verlas. La revista no es un libro: es todo lo contrario. Un libro no puede ojearse con fruto: poco obtenemos de su real contenido ojeando sus páginas. En el libro hay que penetrar. Su contenido se halla oculto. La revista se deja ojear. Es algo variable y diverso. Tiene una movilidad que complace a la mente. Si su contenido está oculto, lo está en parte tan sólo. Es un objeto para los ojos, que empieza a hablarnos en seguida. En el libro hay que entrar, por la revista se pasa. Aunque el término implica, en su origen, segunda vista, lo que el lector hace realmente al tomarla en sus manos es echarle una primera vista.

Una mañana en la Biblioteca Nacional conocí a uno de estos típicos coleccionistas. En *La piel de onagro* es un tipo descarnado, vestido de negro, seco, de mejillas hundidas y aspecto descolorido. El que yo tenía delante era un viejo de cerca de seis pies, con ochenta años cumplidos —como luego supe—, vivaz y humorístico, de ojillos relampagueantes. Acudía a la biblioteca para donar una colección de *La Habana Elegante,* revista cubana de fin de siglo, impresa en buen papel satinado, ilustrada, en la que colaboraban Ramón Meza y Julián del Casal. El anciano despertó mi curiosidad. Con voz apasionada todavía, pese a sus años, me contó que tenía repetida su colección y estaba falto de espacio. Algo me hizo fijarme en sus maneras: trataba los ejemplares rozándolos apenas, con la lentitud de una caricia.

Por ciertos coleccionistas he sabido que pueden guardarse ejemplares que sólo interesan fragmentariamente. Un artículo, ciertas fotos, un cuento o un poema, los anuncios o las portadas. Algunos usan su colección como documentos históricos irrefutables, y acuden a ella durante una discusión para desarmar al contrincante. El mayor placer de un coleccionista amigo mío consiste en reunir a sus hijos y visitantes alrededor de una lámpara y mostrarles los ejemplares que atesora. Las fotos y los pies, de rápida lectura, constituyen su atractivo. Le permiten señalar los cambios de la moda, el envejecimiento o la muerte de personajes conocidos. Resaltar, de modo evidente, las transformaciones de la ciudad.

El coleccionista tiene —es uno más de sus rasgos— un sentido muy vivo del pasado. Una revista, aunque esté dedicada a la creación literaria o a los descubrimientos de una ciencia en particular, refleja también el pasado. Conservarla, volver a ella en algún momento preciso, lo evidencia casi en forma palpable.

(Mucho más si se trata de las denominadas de variedades o generalidades.) Cualquiera que, sin ser un coleccionista típico, abra una revista —como decimos los cubanos: vieja— ha percibido algo de lo que digo. El tiempo ha pasado. Es decir, parte de lo que vemos al abrirla es pasado.

El hombre, a partir del XIX, se siente y se sabe una criatura con sentido histórico. No sólo como lo fueron siempre los hombres, sino en un nuevo sentido. Vivimos con él y, a la vez, a través de él. Aunque se intente —y algunos lo han intentado—, no podemos prescindir totalmente de nuestro sentido histórico, y en esto no debe verse nada fatal. Es consecuencia, simplemente, del propio proceso de la historia. Pues, a pesar de que a primera vista pueda resultar paradójico, nuestro sentido de la historia es a su vez histórico.

Quien colecciona revistas tiene esta conciencia, la conciencia de un pasado. Tal vez no se encuentre muy cultivada, ni es necesario para sus propósitos. Un sentido histórico muy cultivado podría restar asombro a su goce. Revisar ese pasado, volver a verlo, tenerlo, como si dijéramos, en la mano, es uno de los impulsos originarios de su afán de colectar. Si no tiene una conciencia manifiesta del pasado, tiene siempre una conciencia práctica del mismo. Establece una conexión, un contraste, mientras pasa las páginas de sus ejemplares, entre el pasado y el presente. Allí, ante sus ojos, ve autores que han muerto o ya no suscitan interés, teorías caducas o transformadas, hipótesis que adquirieron desarrollo y comprobación, actores retirados o que fallecieron. Él lee y mira a través de tal sentido. Su memoria trabaja incesante. Es motivo de su dicha o su infortunio.

Entre los coleccionistas que he conocido, sólo uno se dedicaba a las revistas teatrales. (También guardaba programas de las representaciones.) Al pasar las páginas realizaba una especie de reconstrucción mental de las puestas que había presenciado. Repasar una foto, releer una crítica, afianzaban su recuerdo de un espectáculo imposible de recuperar por otros medios, provocaban su memoria y la fortalecían.

La representación es el arte temporal por excelencia. (Hay artes del tiempo, como la música, pero cuyo destino no es temporal.) Una puesta en escena, mientras viven el director o los actores, podrá repetirse, aunque nunca de igual forma, sutiles variaciones se generan con cada representación, y cuando ellos han muerto, resulta imposible. Puede el cine acudir en su ayuda, a cambio de dejar de ser una auténtica representación teatral y pasar a la condición de lo fantasmagórico. Cada noche la imagen escénica desaparece, la voz y el gesto, la luz matizada y artificial. Sólo queda el recuerdo. Esta es la gran tristeza de la gente de teatro: lo que ellos hacen morirá indefectiblemente. La frágil duración de sus vidas personales tan sólo podrá darle una breve perduración. A su muerte, la representación habrá terminado. ¿Cómo volver a verla? Quedan vestigios inanimados, una foto, unos trajes, y el recuerdo, mientras sobrevivan, de algunos espectadores.

No obstante el arte teatral tiene una forma sutil de permanencia: la influencia —tanto continuación como ruptura— en los demás, en los que vendrán. Si ya no podemos ver en escena a Enriqueta Sierra, y nunca pudimos ver a Arquímedes Pous tal como él nunca vio actuar a Covarrubias, cuántas actrices no repiten un gesto de la Sierra, y Arquímedes Pous uno de Covarrubias. Herencia silenciosa, casi anónima y no menos verdadera. Herencia que la gente de teatro conoce y practica muy bien.

Menciono ahora, para finalizar, al coleccionista frustrado. Quien no ha podido hacerse de una colección —por un motivo u otro— o la ha perdido, integra esta categoría. Su afición por las revistas persiste. Entonces acude a las bibliotecas. Allí se sienta y pasa las horas ojeando, en una actividad apasionante, que apenas podría explicar en palabras. Cualquier persona observadora los ha visto. Algunos marcan con tiras de papel páginas de su gusto o interés. Son casi siempre hombres o mujeres maduros. No faltan jóvenes, sin embargo, que sin motivo inmediato llenan la boleta para pedir una revista. Ellos también quisieran tenerla.

Este querer suele llevar a algunos apasionados a la mutilación. Se desea tener una foto, un artículo, y con aire distraído y una cuchilla se calma el deseo: el coleccionista sin colección se lleva la pieza en el bolsillo. Ciertas mutilaciones tienen otro motivo espurio: una urgencia, falta de tiempo para copiar o pereza en hacerlo. La mutilación egoísta obedece al propósito de usar ulteriormente lo mutilado. En este sentido no se trata de un auténtico o de una auténtica coleccionista.

En el fondo del deseo de coleccionar, sea con orden o sin él, late la aspiración a detener el curso del tiempo y de luchar contra la fugacidad de las experiencias. «¡Instante, detente. Eres tan hermoso!», exclama el Fausto de Goethe. Y la revista es como un talismán, el objeto que hemos sacralizado para ese fin.

No sólo esto. Hay también curiosidad intelectual. Una revista, con su variedad —aunque esté consagrada a una materia—, por la novedad de la información, por sus múltiples puntos de vista, ofrece al lector una satisfacción singular. Quien la colecciona sabe que, con las variaciones que el tiempo genera en los hechos y en su propia persona, podrá repetir esta satisfacción mientras viva.

LA GLORIETA

«Para verla, vaya al atardecer.»

Atiendo el consejo de Ángel Pena y regreso al hotel, en las afueras de la ciudad, sin llegarme a ver la glorieta. Conmigo tengo un folletico que narra su historia, escrito por Enrique Véliz —después lo supe—, y lo dejo sin abrir encima del velador de mi habitación. Como tantas veces hice con monumentos y ciudades, y también con personas famosas, quiero verla ignorándolo todo acerca de ella, dispuesto al espontáneo asombro o al rechazo. Sólo sé que los manzanilleros la admiran, y que parte de su existir cotidiano tiene la glorieta como centro. La admiran y, sobre todo, la quieren con cariño familiar. Sólo sé el respeto afectuoso que había en la mirada de Ángel Pena al recomendarme esperar la tarde para verla. Después descubrí varias, al menos dos: una de mañana y la otra de madrugada, quizá la más hermosa.

En el hotel espero la llegada de la tarde. Doy vueltas, entro en el bar, paseo alrededor de la piscina. Su fondo de azulejos tiñe de azul el agua. Me paro a mirar las artesanías de la tienda, pequeñísimas vasijas de barro. Subo a mi habitación y me tiro un rato en la cama. Me doy cuenta de que la ventana y la puerta están cerradas y tengo prendida la luz. ¿Cómo enterarme a tiempo de la caída de la tarde? Abro de inmediato el ventanal de la terraza y vuelvo a acostarme. Observo el cielo y más allá

65

el mar Caribe. El hotel Guacanayabo está construido sobre una elevación del terreno. El mar, presencia absorbente y magnética en Manzanillo, ciudad costera de gran puerto, al pie de una inmensa bahía. A los lados, tenues y casi mínimas, las lomas que rodean la ciudad hacia el sur (Infierno, Pánfilo, Yara, Puercos, Lanza), insinuadas en la luminosidad final del mediodía.

Mi reloj marca las tres. Vuelvo a pensar en la glorieta y en la advertencia de Ángel Pena. El parque en el que se encuentra está en el centro del pueblo. Un taxi podrá cubrir la distancia que nos separa en unos quince minutos. Sin palabras me digo que tengo tiempo. Después de verla leeré su historia.

Me figuro que la historia de ciertos objetos podría servir para conocer la de un pueblo entero y la de una civilización. Quizá cuando podamos redactar la historia de un encaje o la de una comida, como la empanada de rosas o el moretum, al igual que hoy escribimos la biografía de alguien que consideramos importante, estaremos adiestrados para contar la vida de la humanidad. Cualquier cosa, mínima o pobre en apariencia, habitual o frívola, nos llevará paso a paso a los grandes asuntos. Eso me figuro en la cama de este hotel mientras espero la llegada de la tarde. Con esto mismo, con la palabra *tarde*. Historiar las interpretaciones sucesivas y diversas que el hombre ha dado de la tarde. Una hebra sola revela todo el tapiz. Así es de intrincada y entreverada la historia. Por el hilo se saca el ovillo, afirma el viejo refrán.

Ramiro Guerra dice cosas parecidas a estas que me digo, en la cama de un hotel manzanillero, en el prefacio de *Mudos testigos*, con mayor complejidad y acierto las dice. Luego traza la historia, sin nada excepcional o extraordinario, de un lugar anónimo de la provincia habanera habitado por hombres anónimos. Sin embargo cuánto enseña de la evolución agraria y la ideología del pequeño colono este relato de cómo se taló un bosque, se plantó un puñado de árboles frutales, se sembró caña y se criaron aves de corral y cerdos en una parcelita de tierra.

Se me ocurre otro ejemplo: la instalación del telégrafo y el cable submarino deberían registrarse en los textos de historia de modo destacado. En tales fechas la experiencia humana, antes aislada, adquirió un carácter de simultaneidad: pudo ser participada al mismo tiempo a otros que se encontraban a gran distancia. Batallas, victorias, reyes y generales, gobernantes de naciones que poco se conocían entre sí, fatigan las páginas de los textos de historia. Y este hecho pasa inadvertido. Para el mundo moderno significó una renovación, gradual pero continua, del valor del tiempo y del espacio. El mundo ha cambiado desde que resultó posible conocer simultáneamente y casi al mismo tiempo en Nápoles lo que acontece en Moscú, París o Nairobi, en Tokio o Buenos Aires. Un aparatico y un cable, cosas tan simples, ¿no contribuyeron a que el hombre desarrollara una conciencia colectiva de la humanidad entera?

Ahora me doy cuenta de que estamos en los primeros meses del año, meses de nuestro raquítico invierno, y que oscurece de prisa. El crepúsculo y la noche se suceden con gran rapidez. Casi sin que lo percibamos, la sombra va haciendo desaparecer las cosas, aparenta ponerlas al margen, y es la noche, y hay que encender las luces. La tarde parece durar —o dura— poco. Consulto el reloj: me queda el tiempo justo para llegar al parque. El tiempo justo para ver la glorieta en el atardecer.

Busco un taxi y le doy la dirección. Casi no tengo que decirla. Todos aquí conocen el lugar donde se encuentra. En estas ciudades pequeñas, trazadas por arquitectos españoles, el parque es el corazón de todas las acciones y del pensamiento. Punto de reunión, de orientación. Lugar de citas. Se dice cerca del parque o lejos del parque. La brújula de la ciudad provinciana tiene en el parque su norte.

Parado en la esquina de Masó y Merchán, el taxi acaba de marcharse, ante mí, ocupando el espacio que abarcan mis ojos, se halla el parque. He llegado a tiempo: atardece. Al fin he de encontrarme con la glorieta y en el momento en que Ángel Pena me recomendó que la viera. No se me oculta el tono cursi de lo que hago, de mis preparativos, pero no intento rechazar la cursilería. La dejo producirse y le cojo el sabor.

Con su luz indecisa y tierna, el crepúsculo alivia el contorno de las cosas. El cielo ha perdido su nitidez. Se mezcla de amarillo y de malva. En *Viaje a La Habana* de la condesa de Merlín se encuentra una referencia a la diafanidad de la atmósfera insular. «La claridad del día —observa al arribar a Cuba— es algo tan incisivo que penetra los poros y produce una especie de escalofrío.» Pero el momento del crepúsculo es diferente: el trazo de la luz deja las cosas imprecisas, en claroscuro. No es incisivo, es como negligente. Parece abandonarlas un tanto, antes de que la noche llegue. «El parque en la media tarde», dice Martí en una crónica, «es como una fantasmagoría.» Quizá por eso Ángel Pena quiso que viera la glorieta a esa hora. Mejor, en este instante, cuando la luz solar la va abandonando y nos hace la impresión de que otra luz asciende despaciosa de la tierra.

Camino por el ancho parque, muy cuadrado a semejanza del trazado del resto de la ciudad, calles rectas y casas perfectamente alineadas. Entre los frondosos robles americanos, florecidos por esta fecha de flores moradas o totalmente blancas, veo a cierta distancia lucir los múltiples colores de la glorieta. Piso al caminar las flores que los robles dejan caer espléndidos. La glorieta es ya completamente visible en el centro del parque, asentada en medio de un círculo flanqueado por cuatro grandes farolas de hierro fundido.

¿Cómo explicar mi asombro? Había entrevisto mientras avanzaba una construcción coloreada, semioculta por el follaje de los robles, y encuentro al llegar, en pleno parque central de la remota ciudad de Manzanillo, una construcción inspirada en la arquitectura de los moros, en la Alhambra de Granada. Para quien, como yo, no sea oriundo de Manzanillo y llegue de visita, se trata sin duda de un encuentro sorprendente.

En un banco cercano me siento. El sol declinante otorga un raro atractivo a la glorieta. La observo curioso: su forma es exagonal, el techo redondo como cúpula romana —¿vieron los arquitectos moros que edificaron la Alhambra las antiguas construcciones románicas en tierra goda?—, cubierto de escamas vítreas blancas y rojo intenso, rematado por una figurilla. Cortas y esbeltas columnas de recamados capiteles sostienen arcos calados, decorados con labores de filigrana. El techo, terminado en amplio alero, descansa en ocho pilastras adornadas de arabescos que imitan la escritura arábiga, sentencias del Corán. La glorieta se asienta en una base recubierta de mosaicos andaluces, como una cenefa multicolor, decoración predilecta de los alarifes alham-brescos. (El término cenefa viene del árabe *canefa.*) Arcos y aleros, festones del techo, cúpula y pilastras, columnas y capiteles, están pintados de colores brillantes. Predominan el rosa y el verde. Parecen reemplazar el lapislázuli, tan frecuente en los originales moriscos.

Desde el banco contemplo la glorieta en los últimos resplandores del crepúsculo y me acuerdo de una lectura adolescente, *Cuentos de la Alhambra* de Washington Irving. Cuando este escritor viajero describe el interior del palacio, sus patios y torres, un balcón, las fuentes de alabastro, prodiga epítetos como grácil, delicado, ligeros peristilos, aéreas arcadas. Para Irving, igual que para mí ahora delante de la glorieta de Manzanillo, la Alhambra contrastaba con el resto de los edificios cercanos, erigidos por españoles. Encontraba en ellos una arquitectura solemne, de pesadumbre gótica, en contradicción con la ligereza elegante y voluptuosa que domina las construcciones moriscas.

Aquí, en una ciudad también trazada por españoles, en mitad de un parque que rodean caserones adustos con hilada de portales de recias columnas toscanas, entre los que se destaca la iglesia católica de torres fornidas, encuentro idéntico contraste con la presencia grácil de la frágil y multicolor glorieta. Esto podrá explicar en algo mi asombro.

Sin darme cuenta —maquinalmente quizá— he traído el folleto de Véliz. ¿En qué instante, antes de abandonar la habitación del hotel, lo recogí del velador y me lo eché en el bolsillo? Ya no podría decirlo. Pero está en mi camisa. Ahora puedo leer su historia. Algo me inquieta: saber el año en el que fue edificada la glorieta. Paso la vista, hojeo el breve folleto. Con mi habilidad de buceador de letra impresa doy en seguida con la fecha: 24 de junio de 1924. ¿Pero qué «onda morisca» hubo por esos años para que un arquitecto cubano se inspirara en un estilo remoto y trazase los planos, para que alguien —persona o institución— aportara los fondos indispensables?

El texto de Enrique Véliz registra algunas precisiones. El arquitecto era oriundo de Manzanillo y de nombre Carlos Segrera. También eran manzanilleros el maestro de obras y quien hizo el trabajo de plantillado. El costo de su realización —dieciocho mil pesos— fue pagado por cuestación pública.

La idea de su construcción tuvo el siguiente origen: correligionarios y simpatizantes del alcalde Manuel Ramírez León se propusieron organizarle un homenaje. El alcalde declinó el ofrecimiento y, con sentido vivaz de la historia, sugirió, en vez de un banquete o una velada en el teatro del pueblo, exornada con discursos y ditirambos verbales que el tiempo borraría de la memoria de sus conciudadanos y nadie podría recuperar, se erigiera en cambio un monumento de piedra perdurable. ¿Quién de sus correligionarios —entonces— lanzó la idea de levantar una glorieta en el parque central? No lo sabemos. ¿O fue quizá el propio alcalde? La idea del monumento se sacó a concurso. Compitieron tres proyectos. Salió triunfante el de Carlos Segrera. ¿Y cómo eran los dos restantes? Días después, en el Archivo Municipal vi uno de los proyectos rechazados: un pabellón neoclásico remedo de algún templo romano. El tercer proyecto se ha perdido.

Aunque Véliz no lo cuenta, supe luego cómo se realizó parte de la suscripción pública. Bellas muchachas, lindamente ataviadas, se sentaron en ruedo en el mismo lugar en el que se erigiría la futura glorieta. Las muchachas ofrecieron sus mejillas juveniles a quienes quisieran pagar por ellas. Cada beso valía un peso plata.

70

Guardo el folleto en el bolsillo de mi camisa. El crepúsculo mancha de violeta, rosado y gualda el horizonte. Dentro de un momento las sombras invadirán fugaces el parque, antes de que las luces eléctricas bruscamente se enciendan. Vuelvo a pensar en la fecha: 1924. Mi manía historicista me lleva a percatarme de que por esa fecha la nueva clase de ricos, surgida en los primeros años de la República, se había recuperado de la baja del precio del azúcar en el mercado mundial y renacía de su postración económica. Iba a comenzar a construirse la utilería para el espectáculo de su reciente esplendor. Clubes, restoranes, fincas de recreo. Hizo pavimentar las calles para correr sus nuevos automóviles, Fords descubiertos de radiante niquelado. Pagaba la construcción de residencias en las que mezclaba aturdidamente diversos (y contrarios) estilos. Aturdidamente o ansiosa de adueñarse de todo, ejercitando el poder que le procuraba el dinero recién adquirido. Gastar con el alegre afán de un *parvenu*. Recibir, dar fiestas, lucir vestidos de moda. Apasionados por la apariencia se entusiasmaban por cuanto creían exótico. Estos años son los de la «onda morisca» en algunas construcciones cubanas. El palacio Valle y ciertas casas de Cienfuegos. En La Habana el patio de lunetas del viejo cine Alcázar, ya desaparecido, y del cine Verdún, que tampoco puede ya verse, algunas casas del Vedado, otra en Prado y Virtudes, exteriores de hoteles de la década del veinte, como el del hotel Sevilla. (El teatro más influyente de la época se llamó Alhambra y creó un género en nuestra historia teatral.)

Por estos años además, según apunta Joaquín Weiss, la arquitectura en Cuba atravesaba un grave período de desorientación. Poco se conocía de estilos y escuelas contemporáneos. Weiss señala 1925 —un año después de edificada la glorieta— como el que da inicio a las primeras construcciones de valor y orientación contemporáneos. En la literatura de los *mass media* y en el cine comercial encontramos también la predilección por lo árabe. Las narraciones de H. M. Hull, *El árabe* y *El hijo del árabe,* de convencional sensualidad, hacían furor. Eran los *best sellers* de su momento. El filme *El sheik* es de

71

1922. La figura elástica de Rodolfo Valentino, de albornoz y látigo, galopando en brioso alazán por el inmenso desierto desconocido, se multiplicaba en el sueño de sus espectadores. Rasurado y lavado, muy europeo en el fondo, era el mito aséptico del árabe de los *mass media,* tanto como Tarzán era el mito africano: es decir, aquello hasta donde las buenas conciencias podían asimilar o tolerar de un mundo diferente. En un orden más grave, la intervención de los ingleses en el Medio Oriente, la campaña de T. E. Lawrence en la Arabia, llenaban las planas de los periódicos occidentales. Sin duda, la glorieta está en su momento.

El mundo misterioso de la Alhambra, contado por muchos viajeros y sobre todo por Irving, cuya obra fue amplia y rápidamente conocida tras su publicación en 1833, contribuyó a propagar esta corriente morisca. En el ámbito de nuestro idioma, *Cuentos de la Alhambra* causó una duradera impresión. En cien años se hicieron más de diecisiete versiones al español. La antigua fortaleza olvidada en la que habitaron veladas mujeres, en cuyo recinto el último rey moro ordenó ejecutar a los príncipes de toda una dinastía musulmana, la misteriosa vida del alcázar, mitificada por el pueblo de Granada, se convirtió en patrimonio de múltiples lectores. ¿Leyeron el arquitecto de la glorieta y el alcalde manzanillero la obra de Washington Irving? ¿O quizá *El último abencerraje,* de Chateaubriand, relato un tanto superior, que transcurre en el mismo ambiente? Si no los leyeron, el arquitecto buscó sin embargo en el Patio de los Leones de la Alhambra un modelo para su glorieta, y el alcalde aprobó el proyecto por el cual pretendía ser recordado. El espíritu de un momento es difícil de rehuir. Es la modalidad de una época. ¿Quién salta más allá de su sombra?, se preguntaba un filósofo chino.[1]

---

[1] Más inclinado a los libros que a los viajes, supuse un influjo exclusivamente libresco, y por el contrario, Carlos Segrera estuvo en España y visitó la Alhambra, la construcción que más huellas dejó en su mente: vivió a su regreso y hasta el final de sus días rodeado de fotos y

Durante estas divagaciones especulativas, he permanecido sentado no podría decir cuánto tiempo. Sé que, en tanto se produce en mí una variación: la glorieta muestra otro de sus atractivos. Doy fin a las reflexiones y me pongo de pie. Camino hacia ella y alrededor, cuando una voz inesperada me dice: «¿Por qué no entra?» Es una voz de mujer y no me vuelvo para mirarla. Supongo que tal vez se halle sentada en otro banco contemplando también la glorieta en el corto atardecer. Quizá adivinó mi deseo.

Subo los seis escalones blancos y empujo suavemente una verjita que me da por la cintura. No tiene candado ni cerrojo. «Felizmente», me digo mudo. Dentro percibo entonces ese encanto singular de las glorietas, de esta y de todas las que he conocido, de la glorieta de mármol de la plaza de Marte en Santiago, de la neoclásica en un parque de la Quinta Avenida de Miramar... Es algo como femenino. Semejante a la torre, al pozo y a la puerta, la glorieta es un símbolo de la femineidad, aseguran las antiguas cosmogonías. Dentro, tenues cambios de luz, la sensación de que al entrar te acoge. Sentado en el banco, sin que apenas me diera cuenta, provocaba recuerdos de mi infancia. ¿Por eso eché a andar quizá, como quien persigue un recuerdo? Las glorietas están —para muchos— enlazadas con experiencias de la niñez, con gratos instantes, música de bandas militares, con el sonido metálico propio de tales orquestas. Me digo lentamente el verso de Baudelaire: «*Les violons vibrant derrière les collines, / avec les brocs de vin,*

---

recuerdos de la Alhambra, en su casa de Santiago de Cuba. Murió en 1920, cuatro años antes de que se terminara la glorieta. Al parecer tras el fallo del concurso no se empezó de inmediato la construcción, sino hasta 1921, y quedó interrumpida por falta de fondos. (Aquí especulo simplemente.) Cuando su autor murió ni siquiera se había comenzado. Después de estos datos, recogidos con posterioridad a la redacción de estas páginas, pude corroborar mi intuición con otros nuevos: Segrera dió en Santiago muestras de su perenne desorientación como arquitecto: el museo Bacardí y el club San Carlos son neoclásicos, renacentista el palacio de Gobierno Provincial, morisca una casa en Vista Alegre.

le soir, dans les bosquets...» Si la glorieta es idéntica a la que veía por fuera, son más suaves sus colores, pálido el verde de la bóveda. Y de pronto doy una palmada y resuena como un eco. Hablo: mi voz se repite vibrante y transformada. Esto hacía de muchacho en la glorieta de la plaza de Marte, palmear, oír mi voz multiplicada. Tanto nos atrae oírnos a esa edad, mirarnos en los espejos, pronunciar nuestro nombre en las glorietas para que el eco lo repita. Vuelvo a palmear.

¿Estarán los muchachos patinando alrededor? Los varones saltábamos y corríamos, patinábamos libres, sin peligros. Libres mientras no llegaban las niñas del barrio a jugar y se apoderaban de la glorieta convirtiéndose en reinas y damas de honor: «Tienen delirios de grandeza», decíamos nosotros. Pero ellas no nos dejaban patinar: nos ponían de soldados a cuidar sus dominios. Me paro insensiblemente entre dos columnas y retomo la pose de guardián del palacio de las niñas. Ellas se sientan en el centro de la glorieta, reina y damas de honor. Tejen con hilos invisibles o toman una bebida que nadie ve. Entre las restantes columnas, en la luz final de la tarde, están los demás muchachos parados en atención, los fusiles impalpables en las manos.

LA EMPANADA DE ROSAS

«Entra. Aquí también están los dioses», dice la amiga y lo invita a pasar a la cocina. Él sonríe del tono levemente burlón que ella emplea al citar una sentencia culta, como la de Heráclito. Manera muy cubana de eludir el énfasis y la vanidad erudita con una entonación de grácil ironía. Dejo que significa o parece significar: es importante, pero no tan importante, y permite entrever cierto abandono, una displicencia lejana.

Él se recuesta en el marco de la puerta y observa a la amiga picar sobre una tabla el ají en pedacitos, diestra y rápida. Apenas el cuchillo se ve avanzar. Los fogones están encendidos y él ha sido invitado a comer. En un caldero se fríen masas de puerco, en la olla de presión terminan de ablandarse los frijoles negros. Salta la válvula ruidosa, escapan silbidos entrecortados, un vapor intermitente. Encantado aspira el olor punzante de la carne de puerco, olor crudo, de rara energía. Es de noche y una lámpara eléctrica ilumina la estancia.

«Siéntate. Háblame un poco, mientras termino», y le indica un banquito blanco. «Déjame ayudarte.» «No. Me quitarás el placer de cocinar. Te avisaré cuando debas poner la mesa», y empieza a cortar la cebolla con idéntica pericia. Se lleva el dorso de la mano a los ojos y se seca las lágrimas. «¿Ves? El placer que da dolor. La cebolla morada siempre me atrapa. Bajo mucho la cabeza.»

Cuando él ocupa el banquito descubre en otra hornilla la típica olla plana, en la que es habitual cocer el arroz. Herméticamente tapada, tiene la llama bajita. De pronto su amiga levanta la tapa y da un golpecito en la llave del gas. «El arroz está a punto de abrirse.» La ve controlar y dominar el fuego. Agacharse para comprobar el tamaño de la llamita azulosa. Si le ha pedido que hable, como suele pedirle cuando la visita, ¿por qué no hablarle del fuego?

Al verla inclinada gobernándolo, una imagen despierta en su memoria enriquecida de conocimientos históricos: un hombre primitivo frotando dos pedazos de madera para obtener fuego. Y le habla de cómo, a partir de entonces, pudo el hombre no solamente dominarlo, sino iniciar el enigmático proceso de la combustión. La llama producida por el pedernal, por la yesca, por la fricción, ¿no le parecería al hombre, cuando era un acontecimiento menos familiar, surgir de la nada?

Habría que detenerse, quedarse en suspenso para comprenderlo, experimentar la sensación de ser un creador. ¿No lo fue igualmente al darle forma a un utensilio, al cuchillo que ella usa con tanta pericia? «Qué curioso. La historia, tan vieja, puede enseñarnos a percibir como nuevos procesos muy antiguos.» Ella, controlando el fuego en una moderna cocina de gas, repite un gesto tan viejo que su antigüedad torna a la vez en novedoso. La conciencia histórica transforma una experiencia habitual en algo sorprendente. «Si es imposible para nosotros permanecer en este estado de lucidez, el asombro no sólo es el comienzo de la sabiduría, como decía Platón, sino que la sabiduría acumulada nos enseña a descubrir lo asombroso del mundo.»

Cuando él ha dicho todo esto, ella empuña la espumadera y revuelve las masas de puerco en la manteca hirviente. «El hombre iba con el fuego a todas partes, lo apagaba y lo encendía», se oye contar a su amiga. Al dejar la espumadera no se vuelve para mirarlo pero le dice: «Empezó a comer carne cocinada y se fortaleció su cerebro.» Pasa luego a disponer el sofrito en la sartén. Vierte un chorro de aceite y los pedacitos de ají y cebolla, varios dientes de ajo, inclinando la tabla que sirvió para cortarlos. Una nueva fragancia satura la cocina, aunándose con la del puerco.

«Y, a punto de echarles el sofrito a los frijoles, ¿de qué me hablarás?» «De la empanada de rosas.» «Ese plato no lo conozco.» Entonces, sonriente, él replica: «Yo tampoco.» Y luego: «Pero me agradaría conocerlo.» Ella, que ha terminado de abrir la olla de presión tras refrescarla bajo el agua, pregunta si tiene la receta. Con movimientos de cabeza él asiente. «Bueno, cuéntame. Ya estoy curiosa.» «En un autor que te gusta la encontré. En Eça de Queiroz.» «A mí me encantan *Los Maias*», confirma fervorosamente, y pone los frijoles de nuevo en la candela. «Sí, pero la receta no está ahí», exclama risueño su amigo. «Me acuerdo perfectamente que en *Los Maias* no hay ninguna receta», concluye terminante la amiga, en defensa de su conocimiento de una obra admirada. «Y mucho que comen en esa novela, pero sin detallar la elaboración de los platos. Es en otro lugar donde Queiroz se ocupa directamente de cocina.» La amiga tuerce la cabeza y se le queda mirando, en espera silenciosa.

A él le agrada aquella espera en mitad de la cocina, las cuatro hornillas encendidas, cuando falta poco para completar el menú criollo, y se demora en satisfacer su curiosidad. Comienza por aclarar que leyó el trabajo de Queiroz con la intención premeditada de referirle a ella su contenido, tan apasionada por el autor como por la cocina. El trabajo en cuestión es un artículo, incluido en las obras póstumas y dispersas del escritor portugués por sus editores, que muestra un aspecto de las diversas preocupaciones de una mente compleja. «Puede resultar inusitado que un artista tildado de exquisito se ocupe de cocina, y más inusitado cuando la coloca dentro de las manifestaciones decisivas de la cultura, como hace Eça de Queiroz.» «Me alegra ponerlo entre los míos. Reconocía la importancia de guisar», y se mueve orgullosa por la estancia dando toquecitos en la tapa de las cazuelas o inclinándose para verificar el estado de los frijoles.

Él prosigue dándole el dato de que el artículo fue escrito en la década del ochenta del pasado siglo. Las excavaciones arqueológicas se iniciaban en gran escala. El afán de conocer las civilizaciones antiguas, principalmente la grecolatina, mostraba plena vitalidad. «Eça de Queiroz encuentra lamentable que su siglo descuide la investigación del arte culinario, revelador, tanto como la filosofía o la arquitectura, del genio de una época. Dime lo que comes y te diré quién eres, afirma el portugués con aire retador.» «Porque el hombre —y la mujer de paso— desprecia el estudio de las cosas menudas, que suelen ser la clave de las mayores», resume ella, un plátano en la mano. «No te apasiones», advierte su amigo. «En el presente se ha producido un cambio notable. La etnología actual se ocupa de lo tuyo. Lévi-Strauss ha escrito páginas excelentes dedicadas al valor de la cocina.» Pelando el plátano ella dice: «Tendrás que hablarme de eso.» «Invítame otra noche a comer.» «Cómo cuesta la sabiduría», y sonreída coge otro plátano y se vuelve hacia él: «Sí, pero en Cuba no se estudia en profundidad la cuestión. No hay un libro que trate de la materia. Ni de la importancia siquiera del plátano en la comida criolla.» Y coge otro, abre la cáscara con la punta del cuchillo después de cortarle los extremos. «¿Lo vas a freír?», pregunta tontamente el amigo, y ella confirma: «Están maduritos.» Su voz es un júbilo dulce.

Él trata de ordenar la conversación quejándose de que se ha dispersado. La mayoría de los cubanos han perdido el arte de conversar. «Me figuro que en provincias la gente conserva el gusto por la conversación hilvanada. En La Habana somos chapuceros. Vamos de un asunto al otro sin concierto, saltamos, los dejamos inexpresados. Una pincelada, un chiste, y a otra cosa, mariposa.» «Bueno, vuelve a tu empanada. Estoy curiosa todavía.»

Al reanudar el tema se detiene en una frase de Eça de Queiroz que condensa el fundamento de su demostración: *El carácter de un pueblo puede ser deducido de su método para asar la carne.* Un lomo de vaca preparado en Inglaterra, en

Francia o en las pampas, tiene diferencias de gusto, selección, aliño... ¿No hay en esto diferencias intelectuales? La cocina es manifestación entrañable del hombre en un momento determinado, de un clima y una sociedad. «El sabor de una fruta puede darnos idea más completa de la gente que la prefiere que la forma de una lanza o de una vasija. Hay tanto del hombre en las invenciones de la cocina como en las del arte. El Partenón, la Venus de Milo o *La Orestíada*, ¿acaso poseen más dulzura, gracia o delicadeza que las manzanas cocidas, deshechas en miel, postre predilecto de los griegos? ¿Este postre no es un testimonio diáfano de la denominada *ligereza* del temperamento ateniense?» «Como de nuestra cruda alegría», repone de pronto la amiga, «la carne frita de puerco.» Él mueve la cabeza dubitativo ante el término cruda, y prosigue el recuento del contenido del artículo. Ella apaga la llama del arroz y la de los frijoles. «Bien dormidos, para despertarlos con la cuchara», y dispone los plátanos maduros en la sartén.

Como no se conservan las salsas de los grandes cocineros de la Antigüedad ni la sopa de congrio que mereció a Nereo una corona cívica ni los huevos *ab ovo* que daban siempre inicio a la comida romana, le cuenta que Eça de Queiroz, con humor y cierta dosis de verdad, propone en su texto una reconstrucción histórica, especie de excavación arqueológica, en la que un cocinero docto encienda sus fogones y repita una comida romana basándose en el *Arte culinario* del gran Apicio. Se reconstruyen templos, casas, el ornamento de jardines y hasta acueductos. Calles, mercados, tiendas, la Vía Apia de mañana y a la hora del paseo. Armas, carruajes, joyas, telas, una siesta en las Termas. ¿No ha realizado el cinematógrafo —que Eça no conoció— prodigios de reconstrucción donde cada secuencia resume un tratado? Vemos, palpamos, hasta vestimos clámides antiguas. Sólo no se ha intentado —tampoco después de la fecha en que Eça de Queiroz redactó su artículo— probar el sabor de los pistos que comieron Julio César o los Gracos.

La espumadera se hunde, la amiga va sacando de la manteca hirviente las masas de puerco y las pone a escurrir en un colador metálico. «Llegados a este punto, terminado el prolongado rodeo, entra el tema de la empanada de rosas, ¿no?» «Así es», repone el amigo, y durante su conversación asciende el olor de la sartén, aroma dulzón, cariñoso, de los plátanos al freírse. El hombre estableció relaciones con la divinidad a través de la comida. Con la divinidad, con el sexo. También con la muerte, en forma de ofrendas. La comida es, además, el ágape, el convivio: la sociabilidad moral que liga a los hombres y el banquete que los reúne materialmente en torno del mismo guisado. «Algo que recuerdo acerca de esto, desde muchacho, es la grajea multicolor sobre la clara batida, en platicos a los pies de los santos del culto yorubá. O los plátanos pintones en las raíces de la ceiba, el árbol sagrado.» La empanada de rosas, refiere luego, era un postre muy corriente durante las fiestas del culto a Venus. Se elaboraba con las rosas más grandes y bellas de los jardines romanos.

«Cuéntame, cuéntame eso», reclama la amiga muy interesada. Él se levanta y alzando el índice advierte: «Ya es hora de poner la mesa. Te has olvidado de avisarme. Se va a enfriar el menú, y tengo en el estómago una furia.» «Convivio o ágape, con el que sabré cumplir, tendrás que terminar tu relato. Lleva los platos y vuelve. Puedes hablar mientras caminas.»

Él se desplaza de la cocina al comedor. Tiende el mantel, va colocando los cubiertos y los platos. Entre ida y vuelta, narra el final. «Las rosas se maceraban en el almirez.» «¿Almirez? ¿Qué es eso?», interroga la amiga. «Un mortero de metal muy usado por los romanos. Aplastadas las rosas, permíteme seguir hablando, en él añadían menudos de gallina, perdiz y palomo, bien cocinados y limpios de toda fibra, hasta la más diminuta. Agregaban luego dos yemas de huevo, un hilito de aceite puro, pimienta y vino añejo de malvasía... ¿Por qué me miras así?» Sonreída, ella confiesa: «¿Qué es la malvasía?» Con los vasos en una mano, él aclara el misterio: «Uva dulce y fragante. Se producía en la isla de Quío, lugar de nacimiento de Nereo, el de la sopa de congrio ya mencionada.» «Venías preparado.» «Conozco tu curiosidad.»

Se interna otra vez en el comedor. Ella lo oye hablar desde allí. «Después de mezclar bien todo hasta obtener una masa fina, se debe echar en una cazuela de barro y colocarla sobre un fuego lento y continuo. Cuando la superficie tueste, puede servirse. Por todo el comedor se esparcirá la fragancia de las rosas. Quedaremos agradecidos a Apicio Celio, creador de esta maravilla.» «¿Todo eso dice Queiroz?», indaga ella cuando él regresa. «Todo eso, pero más bellamente.»

Están sentados a la mesa. La amiga ha abierto de par en par el ventanal del comedor. Ven la noche habanera, miríadas de lucecitas en los edificios y, como un cuajarón de tinta negra, el mar distante. La casa de su amiga, en un séptimo piso, se halla enclavada en la parte alta del Vedado. «Me queda de tu empanada», dice sirviéndole arroz, «el aroma de las rosas. Lo siento en la nariz y un tanto en la mente. Se une al de esta comida.» Él confía a su amiga que apenas leyó el artículo comprendió que debía esta noche hablarle de su contenido. «Lo mismo me ocurrió: las rosas permanecían delante de mis ojos.»

Comen callados un rato. Miran la noche resplandeciente. Por igual los impresiona la virtud de algo tan nimio, un plato olvidado que parece tener la propiedad, sin embargo, de hacer surgir parte de una complicada civilización desaparecida.

¿Sucederá con ellos lo mismo? Quizá un acucioso investigador, dotado de un poco de imaginación, dentro de milenios resucite por un momento, reproduciendo con reverente exactitud el menú de esta noche, las emociones de dos cubanos al comer. «Volverá a tener en sus labios esta delicia ruda y algo de nuestras almas con ella. ¿No crees, amigo?» El movimiento leve de su cabeza semeja responderle con una afirmación.

LAS PUERTAS

Desde el lugar donde te encuentras puedes ver la puerta de tu habitación. La visita se ha ido, cerrándola a sus espaldas, y te has quedado solo: la puerta adquiere entonces una presencia casi insostenible. O quizá siempre la tuvo y, como si descansaras del significado perenne de las cosas, la percibes sólo de cuando en cuando. Cerrada, blanca, lisa, parece apartarte del resto del mundo, dejarte solitario en tu cuarto.

Desvías la vista y un recuerdo te asalta: desde niño las puertas llamaron tu atención. Sentías predilección por ellas o estabas seducido. Te atraían y también, como suele ocurrir con ciertas atracciones, te agobiaban con su presencia. Cada nueva puerta era umbral de algo desconocido, de una iniciación, del infortunio o la dicha. Las casas ajenas eran más bien puertas que tenías que franquear, entornadas, con un gancho puesto o cerradas herméticamente. El colegio era igualmente una puerta más que un edificio, una puerta grande, de dos hojas con clavos de bronce que lanzaba gemidos al abrirse. Detenido frente a cada una deseabas trasponerlas, y cuando se abrían retrocedías unos pasos. Semejaban al abrirse ofrecerte algo ignorado ¿Qué habría detrás?

Si permanecían cerradas sentías una especie de rechazo. Todavía hoy una puerta que se cierra ante ti o a tus espaldas te produce una sensación parecida, aunque nada tengan que ver contigo la casa ni quien la cierra. A veces caminando de noche por la ciudad oyes una puerta de calle cerrarse, y la pequeña sensación de rechazo se presenta de nuevo.

Conoces la emoción tan aguda que genera una puerta cerrada cuando se espera a una persona o alguna cosa importante está en juego. Ante la puerta de su amor se detiene el amante con un estremecimiento. Para él en ese instante es la única puerta que existe. No hay dos puertas iguales. El ladrón, el secuestrador o el asesino vigilan las de sus futuras víctimas con pasión enfermiza. Para el pobre, la de quien puede socorrerlo es casi mágica. Son ellos en realidad, los pobres, excelentes conocedores del lenguaje inexorable de una puerta cerrada.

En un relato conmovedor, Franz Kafka ha descrito otra reacción posible: la del que espera inútilmente delante de una puerta abierta sin atreverse a franquearla, intimidado por un guardián atroz. Sentado en un banquito se queda toda su vida sin entrar. Cuando muere, el guardián la cierra: esa puerta era solamente para él.

Como en tu adolescencia, tocar en una puerta no te resulta todavía indiferente. Algo inesperado (o esperado) puede ocurrir detrás. La puerta es la entrada a ese hecho que empieza cuando ella se abre. Hay dos momentos, de matiz diferente: llamar o escuchar el llamado. Cada uno implica de por sí un estremecimiento. La puerta a la que llamas o en las que oyes llamar cuando estás dentro de la estancia. ¿Quién será? Te parece que nadie abre sin sentir una punzada de temor, aunque la visita se haya anunciado de antemano. Si no es temor, expectación, un corto sobresalto.

¿A qué viejo instinto —te preguntas—, impreso en el tejido nervioso, obedece tal sensación? La literatura y el cine de horror han expresado (y explotado) esta emoción antigua. En *El cuervo* de Poe, el pájaro espectral pega con su pico en la puerta: su llamada provoca en el amante el recuerdo de la amada difunta. ¿Es ella que vuelve de la muerte o simplemente el pájaro? En la novela gótica chirrían los goznes de las puertas, se abren y cierran solas, las lámparas se apagan y se oyen pasos desconocidos que se avecinan. Como un elemento macabro ha utilizado el cine de horror estas puertas involuntarias que, al operar sobre los nervios, suscitan en el espectador un sentimiento de espanto. La espontánea emoción cotidiana es magnificada en el interior de una situación insólita.

De sobremesa tu familia se reunía a conversar. Si tu abuela estaba de vena, inspirada, reinaba sobre el resto y terminaba haciéndose oír: narraba relatos de aparecidos. El jinete descabezado, la niña muerta que se mecía en un silloncito... Tú y los presentes permanecían en la estancia sobrecogidos y extrañamente encantados. De vez en cuando sigilosos se levantaban y cerraban una puerta, luego otra. Al rato la estancia entera, hermética, quedaba como protegida de la inminente llegada de los aparecidos. Mientras la abuela iniciaba un nuevo relato, todos los ojos se fijaban en las puertas tratando de comprobar si se encontraban seguras. Las había igualmente en los relatos de la abuela, y parecían mezclarse con las de la estancia. Si alguien llamaba de repente, alguien inesperado o temido, en la del cuento o en la de la realidad, el terror los sacudía a todos.

Thomas de Quincey ha destacado en *Macbeth* uno de estos momentos. Tras el asesinato del rey Duncan, completada la labor de ambicioso exterminio, los esposos convictos se encuentran, se miran las manos ensangrentadas, y oyen entonces de pronto en la alta noche un llamado: tres golpes en la puerta del castillo. El espanto los sobrecoge. ¿Quién podrá ser? El pavor ante su propio crimen, sutilmente irracional en este caso, se apodera de sus mentes culpables. No puede ser un testigo ocular, nadie los ha visto asesinar al rey. Y sin embargo los golpes en la puerta resuenan en sus nervios, despiertan sus remordimientos. El mundo humano, en suspenso mientras cometían el crimen, retorna con el llamado.

Podrías señalar, a continuación, un aspecto o reacción diverso. En ciertas piezas de teatro clásico, *La dama duende* de Calderón, y en múltiples novelas de aventuras, aparecen puertas secretas. La protagonista, en la comedia española, desaparece y reaparece inesperadamente utilizando una entrada disimulada en la pared. Tales irrupciones y salidas la transforman en un *duende* para los demás. Está dotada de ciertas prerrogativas. Las puertas secretas —por las que escapan los perseguidos en las novelas de aventuras—, de las que nadie presupone su existencia ni ubicación, cuyo mecanismo sólo es conocido por la persona que las utiliza, poseen un encanto singular. Parecen abrirse —en muchos casos realmente— a pasadizos y corredores ignorados. Ponen a salvo al fugitivo, otorgan al cuerpo humano la condición provisional de invisible. Cuando en una representación teatral o durante la proyección de un filme ves una de estas puertas correrse inesperadamente —algunas dotadas de poderes mágicos como en *Las mil y una noches*— dejando un espacio vacío, generan en ti una sensación de alivio o de poder sobrenatural. Son sin duda un truco de arquitecto que se vuelve afectivo al crear una ilusión.

Parado ante la puerta de metal y cristales de un gran hotel moderno, te das cuenta de que la técnica actual agrega, al estremecimiento suscitado por la caduca puerta secreta, uno más democrático y curioso: el de la puerta que se abre sin que la toques, sin llamada alguna, y a veces sin que quieras entrar. Obediente a un mandato mudo, impulsada por un dispositivo eléctrico, corre sus transparentes hojas. El cristal ya nada esconde. Puedes, sin entrar, mirar al interior del edificio. La técnica, en la que todo parece lógico y evidente, es capaz de darte una sorpresa.

Tus caminatas por la Habana Vieja te permiten descubrir el contraste entre la puerta abierta y la cerrada. Esa parte de la ciudad es de grandes puertas abiertas, de vida hacia la calle: los interiores se dejan escudriñar hasta la cocina. Te sorprenden en tu andar algún patio florecido, una fuentecita con el dios Neptuno, el mármol verdinegro y desvencijado, o la belleza irradiante de un mediopunto que tamiza la luz solar en verdes, en azul intenso, en amarillos.

De muchacho solías salir de casa dejando la puerta abierta. Una de esas veces te sorprendió tu padre y te amonestó con la frase: «¡Así se perdió Bizancio!» Nunca se la habías escuchado. Y te quedaste perplejo, sin comprender. ¿Qué quería decir? Sabías que Bizancio era una ciudad antigua, célebre por sus murallas, una detrás de la otra, hasta tres en total. Pero no veías la relación. Para curarte de la perplejidad, tu padre pasó a explicarte el sentido de la frase, con su modo pintoresco de entender las cosas. Él creía que ciertos hechos casuales decidían y cambiaban el curso de la historia, y la conquista de Bizancio dependió de uno de ellos.

La ciudad, último baluarte del imperio oriental, fue en 1453 sitiada por los turcos. El sitio duró más de seis semanas de luchas casi diarias. Asaltos y ataques habían sido rechazados por los defensores de la ciudad, parapetados tras la poderosa muralla de doble y triple línea paralela, almenada y protegida por fosos y torreones cuadrados. No le quedaban al sultán Mohamed, que en persona dirigía las operaciones del asedio, joven de mirar melancólico, cruel y beato, lector de Julio César en latín y capaz de derramar sangre como vasos de agua, no le quedaban como estratega militar, comentaba tu padre, más que dos opciones: retirarse o lanzarse contra la ciudad de un golpe definitivo. Hizo esto último. Y cuando estaba a punto de perderlo todo, una puerta lo salvó. «Fue un instante misterioso, como suele producirlos la historia», y el acento de tu padre era también misterioso.

Esa puerta salvadora resultó una puertecita en la segunda muralla. Los soldados turcos que habían penetrado por una brecha producida por el cañoneo en la muralla exterior y erraban en busca de una entrada, la descubrieron. ¿Había quedado abierta por olvido, por un error inexplicable? Quizá, al carecer de importancia militar, la dejaron abierta en la confusión de la última noche de sitio. Estaba destinada al paso, en tiempos de paz, durante las horas en que permanecían cerradas las mayores. Al principio los soldados turcos sospecharon un ardid. Eran tan improbables el error, el olvido... Delante de cada brecha, de cada abertura, delante de cada puerta los defensores hacían derroche guerrero. Sin embargo esa puertecita... Llamaron refuerzos por las dudas, y sin encontrar resistencia, una avanzada turca penetró en Bizancio. Inesperadamente sus defensores se vieron atacados por la espalda: tenían al enemigo detrás de sus propias filas. Se creyeron perdidos y gritaron: «¡Ha caído la ciudad!» Los turcos repitieron hábilmente el mismo grito con más fuerza y se decidió la suerte de Bizancio: sus defensores abandonaron sus puestos y terminó la resistencia al invasor. «Por eso, hijo, cierra la puerta cuando salgas de tu casa.»

Al contraste entre la puerta abierta y la cerrada se suma el de la puerta entornada. Tras el luto reciente o durante una enfermedad se entorna la puerta, con el gancho puesto. Cuando se sufre, queda la puerta entornada: se requiere del consuelo o el auxilio del visitante. Parece, entornada, como dejarle semifranca la entrada, o quiere la familia del difunto o del enfermo escapar, en su preocupación, del sobresalto de la llamada que aumentaría su pesar. Tras la partida del padre de Palmiro a la guerra de independencia, lees en *Oppiano Licario,* la familia deja la puerta de la calle entornada: se espera su regreso, y a la vez la puerta evoca al padre ausente y parece conjurarlo para que vuelva sano y salvo. Algo importante ha ocurrido en la casa: el padre se bate en la manigua, está *alzado.* En cada casa hay que descifrar el lenguaje de la puerta —parece decirte Lezama—, y la entornada indica esta vez la espera del padre guerrero que ha partido. Indica la soledad de la familia, el amago de la muerte y la gravedad de la lucha.

Dos juegos en los que la puerta era objeto principal se unen en tu memoria: el de los escondidos y el de tocar y echarse a correr. Escondido detrás de una puerta callabas temeroso de ser descubierto. «El que se queda» salía a buscarte, después de contar hasta diez, por las habitaciones, tras los muebles. El resto de tus amigos se hallaban también escondidos en distintos lugares. Aguantabas la respiración, la risa que subía a tu garganta. Y de pronto te abrían la puerta de un tirón gritándote: «¡Quiquiriquí pisao!» Emprendías una veloz carrera para no ser tocado antes de llegar a la base escogida. Pero mientras te buscaban, descubrías un tesoro en tu escondite: el pequeño mundo de ropas colgadas, de escobas y paños de limpiar, un pajilla de cinta negra, el bastón olvidado, objetos que esconden de la mirada ajena los moradores de la casa.

El otro juego era diferente, solitario y callejero. Nadie te buscaba. De puntillas, despacio, te acercabas a una puerta de calle cerrada, y nada podía impedirte el impulso de hundir el dedo en el timbre o de hacer sonar el aldabón de un golpe. Luego echabas a correr como un triunfador. Pero el juego no había terminado: detenido a cierta distancia y oculto tras un poste, sacabas la cabeza: cómo perderte el goce de ver a alguien asomarse, girar el cuello en busca del llamador, la cara de asombro o indignación por el engaño. Con la apariencia más inocente seguías después caminando.

La lectura de un soneto de Rimbaud avivó el recuerdo de otra de tus experiencias juveniles. La puerta del armario, en el cuarto de tus padres, se contaba entre las más atractivas. Te parecía esconder un secreto. Te gustaba estar presente cuando abrían el armario. Las hojas —al igual que en el soneto de Rimbaud— se movían parsimoniosas, con graves chirridos, para dejarte contemplar el interior: los vestidos de tu madre, sábanas dobladas y ordenadas en pila, la caja redonda de un sombrero. El olor de la madera oscura se unía al aroma del vetiver y las violetas.

En ciertos libros has marcado la presencia de las puertas. Aparecen en las páginas del poeta, del erudito, del historiador. Cuenta Azorín en uno de los suyos que una noche de viento, viento formidable que hacía estremecer la casa, las puertas vocearon su cólera, gimieron o con una sacudida emitieron cortas detonaciones. En la mañana entró en su estudio el mayoral de la labranza y le dijo: «Anoche las puertas han trabajado mucho.»

Desde que el hombre resolvió el problema de construir una salida en el muro y dejar libre un espacio para colocar en él las puertas —en la cámara de las pirámides se encuentra la primera solución conocida— estas ocupan su imaginación, su vigilia y sus sueños.

LA PLACA NEGRA

Todavía, amiga, me parece ver el disco alzado en el espacio de la habitación de Manuel, levemente sostenido, casi con ternura, en la punta de tus dedos, como se acostumbra dentro del rito para que no sufra daño, la yema de los dedos apenas apoyada en ambos lados de su circunferencia, y me parece recordar la entonación anhelante de tu voz al preguntar: «¿De qué está hecho?»

Fue suficiente tu pregunta: parte del rito quedó en suspenso. Vi —o vimos quizá— la placa negra reluciente y su rojo sello, por vez primera en la tarde. Ninguno de nosotros hasta ese momento parecía haberse fijado en ella, y mucho menos preguntado por el material del que estaba compuesta. Oíamos la música: la placa negra carecía de existencia y de historia. Era un objeto útil, y cuando no hacía ruido, eficaz.

Disco tras disco caían en el plato giratorio, y ya la tarde estaba a punto de mezclarse con la noche cuando hiciste la pregunta. Ubicados cerca del tocadiscos, o según se decía antes, del gramófono, asistíamos, en un sofá y en unos cuantos sillones, al rito de los amantes de la música grabada en placas negras. (O para actualizarnos, de cualquier color.) Como altar profano, el tocadiscos en su lugar central, lugar escogido con cuidado y detenimiento.

Y ahora, amiga, una digresión. Con ironía femenina sueles afirmar que me disgrego. Quizá mi mente avanza en espiral. ¿No diría Séneca —a quien tengo el hábito de leer— que nuestro vivir es una digresión en tanto no llega la muerte? Para ambos, felizmente, la muerte no ha llegado, y podemos agregar digresión a la digresión.

Creo que has observado que ciertos objetos como el tocadiscos, digamos el teléfono o el televisor, que rodean nuestras vidas y nos sirven, o tal vez al contrario, a los que nosotros servimos, tienen en la casa *su* lugar. Les escogemos un sitio, nunca indiferente. Alrededor suyo se organiza el resto de la casa y ellos semejan presidir. El tocadiscos es omnipresente encima de su mesa o formando desde el suelo lo que se llama una columna, en su lugar, ennoblecido por el resplandor de su cromatismo contrastado: níquel, botones negros, bombillitos rojos y verdes. Y es uno de los tantos objetos que va acompañado (o precedido) por un ritual preciso. Hay una manera determinada de levantar la tapa, encenderlo y graduarlo, de pulsar los botones... Recordarás, amiga, las múltiples veces en que hemos visto a Manuel hacer todo esto con renovada delicadeza y pericia singulares, provocadas por el objeto mismo.

Si no ocurre así, y seguro estarás de acuerdo conmigo, parece faltarle algo al tocadiscos, ha perdido como un privilegio. Quien levanta la tapa descuidado o pulsa displicente un botón nos parece, ¿no es cierto?, que puede estropearlo, y al incumplir los principios del rito debido, estropear parte de nuestro goce.

Leo en Dorfles una observación que copio para ti: «Las técnicas proporcionan al hombre», se refiere a los descubrimientos técnicos, «prolongaciones de sus miembros y, al propio tiempo, le ofrecen nuevos objetos y mecanismos de cuya carga mágica no puede liberarse.» Me parece presentir tu desacuerdo con ese «no puede» tan perentorio y definitivo, yo también lo estoy. Pero lo importante es la perspicacia de la observación, no el augurio.

El disco complica este ritual. Requiere un modo, un procedimiento. Sacarlo de su sobre, limpiarlo con gamuza especial, colocarlo con mucha práctica en el plato y poner la aguja, diestro el pulso y buena la vista, para que empiece a sonar, constituyen partes del procedimiento. Habrás advertido, además, ciertas complicaciones: hay quien lo mira atentamente, inclinándolo a ambos lados, antes de ponerlo en el plato, o lo sopla afectuoso. Otros lo lavan de cuando en cuando, poniéndolo a escurrir y a secar al aire. Cerca del tocadiscos están guardados los discos en un mueble específico, en su mueble. Ordenados, a semejanza de los libros, por autor, intérprete o conjunto. Especialistas apasionados conocen la calidad de las diversas casas de grabación. El sello que las distingue significa para estos una garantía, iba a decir casi mágica.

Creo que la digresión no termina aquí. La frase de Dorfles sigue rondándome. Quisiera detenerme, antes de volver a la cuestión de tu pregunta, en el tema a que alude. Existe un término técnico que define lo que venimos hablando. Voy a escribirlo en ofrenda a la claridad científica: antropomorfización. De inmediato te pido disculpas, mis renglones han adquirido aspecto forense. Con frecuencia la antropomorfización ha sido mencionada para caracterizar la relación que el propietario de algún objeto mecánico establece con él. Por ejemplo, con su motocicleta o su automóvil. Ciertas explicaciones sicoanalíticas se han dado de tal hecho: devoción, sustitución de la libido, celos, regresión a estadios inmaduros de la sexualidad... Basándose tal vez en estas explicaciones —descubriéndolas en la realidad a la manera del artista—, el francés Pieyre de Mandiargues escribió una hermosa novela, *La motocicleta*. En ella el dueño del aparato establece con este un nexo parecido al que podría sostener con una mujer. Realiza lo que se denomina «sustitución sexual». Ya me figuro verte sonreída ante estas actitudes enfermizas. Y para que tu sonrisa no se extinga del todo, voy a darte la versión criolla de tales conversiones. Un amigo fotógrafo suele decirme: «La Pentakon es mi querida.» Lo cual, en este caso, me parece menos decisivo y antropomórfico. Al menos existe una mujer real.

Si el hecho es verdadero, el de la sustitución, los motivos no son claros. Quizá se encuentren, antes que en la sustitución sexual, en un factor de gran intensidad: la ignorancia del poseedor acerca de su objeto mecánico. Además la ritualización, en el fondo evidencia de la perdurable inclinación humana a mitificar, puede estar generada por esta carencia de conocimiento.

Me explico, amiga: el propietario de un automóvil lo usa, lo gobierna, conoce la manera de conducirlo, incluso puede tener ciertas nociones de su mecanismo interior. Pero la mayoría ignora sin embargo su historia, el proceso tecnológico, el valor exacto de los antecedentes y consecuentes que han conducido a su fabricación y funcionamiento. Por tanto el objeto adquiere, dotado por el hombre mismo, indiscutible hechizo.

Recuerdo que, al citarte la observación de Dorfles, supuse un desacuerdo de tu parte con dicha observación: la imposibilidad, casi absoluta, de que el hombre pudiera liberarse de la carga mágica de los aparatos creados por la técnica. En el factor que te acabo de mencionar tal vez podría encontrarse una posibilidad de liberación, al menos de control.

Aquí, amiga, concluye la digresión. ¿Realmente era una digresión? A veces dando un rodeo, trazando un paréntesis, damos en lo esencial. O lo vemos bajo luz diferente, más claro y múltiple. Cada cosa del mundo, la más menuda, arroja sobre el resto una suerte de iluminación. Si la realidad es un poliedro de infinitas facetas, cada una se halla concatenada con otra, en apariencia diversa. Lo esencial de la tarde era tu pregunta, tu mano alzada sosteniendo el disco desnudo. Vuelvo a ver tu gesto, oigo el metal interrogante de tu voz: «¿De qué está hecho?»

Varias voces se elevaron para contestarte. Casi todos conocíamos algo, vago o preciso, acerca de la hechura de un disco, de su origen y desarrollo. Se oyeron datos, nombres, materiales y fechas. Aquí me propongo darles cierto orden, enlazándolos con otros diferentes que he logrado reunir para ti, y con el recuerdo de aquella tarde.

Los discos recientes se hacen de vinilita, material plástico resistente y flexible que produce poco ruido por fricción, en el que quedan grabados con asombrosa exactitud los surcos de la placa matriz. Antes se fabricaron de acetocelulosa, y los primeros discos se hicieron de ebonita. Alguien aficionado a las etimologías —no debes sonreír— dijo entonces que tal palabra procedía de la voz inglesa *ebony,* y Manuel puso en marcha sus conocimientos al referir que se trataba de un material compuesto con goma elástica, aceite de linaza y azufre. El caucho no fue mencionado, y sin embargo lo he visto citado por algunos autores entre los componentes de la ebonita.

Quisiera advertirte. No te extrañen la imprecisión o las contradicciones. Hasta la década del cuarenta no se publicó tratado alguno sobre la fabricación de discos digno de mención. Hallándose esta industria monopolizada por limitado número de empresas, se procuró mantener ocultos los detalles de componentes y procedimientos empleados. Las referencias de carácter industrial impresas en revistas técnicas y diccionarios eran inusitadas. Se llegó a decir que las grabaciones se realizaban sobre placas ahumadas y se reproducían por fotograbado. Y todavía actualmente la fórmula de ciertos procedimientos se mantiene celosamente guardada. Esto, como dijo Borges de la moneda argentina, pertenece a los predios de la literatura fantástica.

Ignoro si te ocurre lo mismo, pero el fabricante de discos me impresiona como un ser lejano, de trato infrecuente. ¿Conoces a alguien que trabaje en una casa de grabación? No son numerosas, ni siquiera en las grandes ciudades, tampoco lo son sus operarios. Me los imagino —además— semejantes al antiguo maestro de azúcar. Este vestía a su modo, vivía apartado, era reservado y silencioso, tenía su técnica propia. Ambos me parecen poseer un secreto. El maestro de azúcar oculta (o el de ron, para ponerte ejemplo más cercano en el tiempo) el método de su refinamiento, de su blancura (o de su sabor), y el técnico de grabación, el de la fidelidad con que el disco ordinario, el que tú y yo tenemos, reproduce el timbre de los sonidos originales impresos en el disco matriz.

Si llegas a conocer un estudio de grabación, si logras entrar en él —a la cámara donde se guarda el disco matriz, herméticamente cerrada y con temperatura uniforme, termómetros e higrómetros indicadores de la menor variación, pues el mínimo cambio provocaría la deformación de los surcos y la consiguiente distorsión de lo grabado, en esta cámara sólo entran los operarios y no el profano— podrás percatarte de la extrañeza que te menciono. Disculpa, amiga, pero ante el ingeniero de sonido y los técnicos con audífonos y micrófonos puestos, dentro de una cabina de cristal, rodeados de agujas, relojes y botones, alzando una mano e inclinándose para indicar que empiece la grabación, se corte, se repita o termine, no existe otra reacción que la del asombro. Reacción de escaso crédito científico, aunque Platón señalaba el asombro como principio del filosofar. Y esto, un poco infantil y un poco sabio, es en realidad lo que provoca cuando los vemos.

Aquella tarde se mentó a Edison como inventor del fonógrafo, antecedente del gramófono, como este lo fue del tocadiscos, y este, a su vez del actual, construido sobre los fundamentos del láser. El descubrimiento importante de Edison, después lo supe, no fue un aparato —el fonógrafo sería perfeccionado, abolida la cuerda y el manubrio, sustituido el cilindro por una placa, las ondas sonoras naturales por las recogidas mediante el micrófono eléctrico— sino que lo importante fue el descubrimiento de un principio inalterable: la posibilidad de inscribir el sonido impalpable en un cuerpo sólido. Sin este descubrimiento nada hubiera sido posible.

Desde sus trabajos anteriores con el telégrafo, Edison tuvo ocasión de experimentar con las cintas de relieve impresas con puntos y rayas, que se movían rápidamente bajo un punzón haciéndolo vibrar. Observó que al vibrar, el punzón producía sonidos perceptibles. A su inteligencia analítica y activa este hecho le resultó curioso. Por el tiempo en que realizó su descubrimiento trabajaba con experimentos telefónicos, de modo que llamaron su atención los fenómenos acústicos. «En el fonógrafo», escribió en 1877, diez años después de su invención, «encontramos confirmada la verdad de que el lenguaje humano está gobernado por las leyes del número, la armonía y el ritmo. En virtud de estas leyes podemos ahora registrar sonidos y voces articulados, con los más ligeros cambios y variaciones, en rayas o puntos equivalentes a la emisión de sonidos vocales.» Y buscó en la naturaleza una imagen apropiada para explicarse: «Las ondas sonoras trazan una impresión sobre un cuerpo sólido con la misma precisión que el mar registra su flujo en una playa arenosa.»

Su mente parecía hallarse acuciada, amiga, por el deseo de luchar contra el olvido, de disputarle a la muerte jirones de presencia viva. Varios inventos suyos o inventos ajenos que perfeccionó, la máquina de escribir, el mimeógrafo, el telégrafo y la fotografía, los encuentro marcados por este afán.

Este aspecto, diré metafísico, de sus inventos, estimuló la imaginación de Villiers: convirtió a Edison en el protagonista de su novela *La Eva futura.* En sus primeras páginas el inventor, encerrado en su laboratorio de Menlo Park, medita melancólico, con humor sombrío y levemente burlón, sobre la tardanza del fonógrafo en llegar al mundo. Tantas voces y rumores se han perdido sin que pudieran registrarse permanentemente en las hojas de su cilindro. Hubiera podido fonografiar la voz de las sibilas al hacer uno de sus pronósticos, las amonestaciones de Jehová en el monte Sinaí y el tronar que las acompañaba, el suspiro de la estatua de Memnón ante la aparición de la aurora, el grito del toro de Falaris o el son de las trompetas de Jericó y el estruendo de las murallas que derribaron. La voz de Cristo pronunciando el sermón de la montaña, y probar, de paso, su controvertida existencia.

A tu imaginación (o a tu melancolía) dejo enumerar otras voces perdidas en los anales de la historia, de la historia escrita y sin sonido. Hoy nosotros, menos importantes, tenemos sin embargo la ventaja de grabar nuestras voces, la voz de la amada o la del amigo. Y si tu mano desciende y coloca el disco alzado en el plato giratorio, como hiciste después de tu pregunta: «¿De qué está hecho?», volveremos a oír la voz de Freddie Mercury cantar *There must be more to life.*

Te prometo dejarte grabada mi voz antes de morir. Tu mano se alzará —ya lo presiento: pobre inmortalidad—, repetirá las maneras del rito, y volveré de nuevo: diré otra vez lo que te estoy diciendo: hasta nuestra próxima tarde, amiga.

MEDIDA DEL RELOJ

Acostado en la cama de su cuarto de París, al iniciar su extensa reconquista del tiempo perdido, el Narrador en la novela de Proust se encuentra en esa zona intermedia de la conciencia entre sueño y vigilia que en castellano se denomina «duermevela». Experimenta la sensación de que debe acostarse a dormir, apagar la luz, y sin embargo está acostado y ha apagado la lámpara. Entre las manos se figura tener el libro que leía. Si reflexiona —en el duermevela— acerca de lo leído, adquieren sus «reflexiones» un tono singular: le parece convertirse en el asunto del libro: música, rivalidad entre dos personajes históricos, paisaje. Apoyada la cara en la almohada oye ruidos nocturnos y el chasquido de la cómoda. Sabe que todo en su cuarto se halla a oscuras, y se siente parte ínfima de esa oscuridad. El hilo de las horas, el orden de los años —suspendido momentáneamente—, roto. Vaga su conciencia de sí, como desvanecida. Se va haciendo temporal en la oscuridad y le parece fluir en una disolvencia peligrosa. Y de repente sobresaltado busca un asidero: ralla un fósforo y acerca la llamita al reloj. Qué hora será. Las agujas marcan las doce.

El Narrador siente gravitar sus dudas sobre los ojos «como escamas». (Al ignorar dónde se encuentra, ignora también quién es.) Lo que semejaba fluir mientras no se dormía, ¿qué era? Proust escribe esta aseveración: «No había en mí otra cosa que el sentimiento de la existencia en su sencillez primitiva, tal como puede vibrar en lo hondo de un animal.»

Pero la rayita de luz sobre el cuadrante del reloj, al trazar una marca en lo temporal puro, acude en salvamento del Narrador. Las manecillas indican las doce: el orden vuelve a imperar. El tiempo se hace menos abstracto y terrorífico: se define.

El Narrador no ha descrito el reloj, sólo el momento de iluminar su esfera, y ha olvidado el tictac en la noche que sin duda escuchó. Pero como Proust comenzó a redactar su novela en nuestro siglo, hacia los primeros días de julio de 1909, podemos suponer que se trata de un reloj de cuerda. Nadie nos ha contado dónde fue a parar, en qué manos se encuentra, si algún coleccionista, tras las subastas de objetos del autor realizadas después de su muerte, lo atesora. Ignoramos la marca, el año de fabricación, si era de mesa o de pared, si se hallaba encima de la mesita, al pie de la cama o en la repisa de la chimenea. De la mesita se conoce que era redonda, fea y de bambú, que la apodaban «la chalupa», y que sobre ella quedaron los manuscritos de la última parte de la novela. Pero del reloj de su cuarto, que salva al Narrador en el preciso instante de iniciar su aventura con el tiempo, se ignora todo, hasta si realmente existió.

El hombre antiguo usó poco el reloj, y este hecho produjo indudables consecuencias en su concepto y en su sentimiento del enigma del tiempo. Como ocurre de pronto al Narrador, su relación con el tiempo fue singular, en parte diferente a la nuestra. Nosotros damos cuerda diariamente a nuestros relojes o la energía eléctrica se ocupa de mantenerlos en movimiento. El hombre antiguo, por el contrario, vivió sin reloj. La mayoría de los ciudadanos no lo tenían, los campesinos nunca lo vieron. No estableció con el tiempo, al contrario del hombre moderno, un nexo matemático habitual. ¿O prefirió quizá desentenderse de medirlo?

En sus casas no había relojes, ni en edificios ni en las plazas. No dejó torre o columna con un reloj o el espacio vacío donde estuvo. En el frontispicio del Partenón no colocó ninguno.

Los pocos relojes que conoció, como el de sol, no parecen haber influido en su vida cotidiana ni en su sentido del tiempo. Hasta mucho después del emperador Augusto, la hora del día se computaba por la longitud de la sombra. Los relojes de sol eran escasos, exclusivos de círculos muy cerrados.

Su origen es impreciso. Se acepta como el primer medio artificial que el hombre construyó para medir el paso del tiempo. Pero apenas hay certeza en la fecha y en quién lo inventó, hecho que resulta curioso tratándose de un aparato que nos ayuda a ser exactos y contribuye a agudizar nuestra conciencia de lo histórico. Hacia el año 600 antes de nuestra era, según la tradición, el babilonio Beroso llevó un reloj solar a Grecia. Lo perfeccionaron Tales de Mileto y Anaximandro, quien le agregó una especie de esfera numérica que indicaba las horas, exclusivamente hasta la undécima, por medio de la sombra que un estilo arrojaba sobre la superficie numerada. Como la posición del sol respecto de la tierra varía a cada instante, la sombra del estilo señalaba las diversas horas del día.

Los egipcios, que trazaron cronologías y tuvieron una visión abrumadora del futuro, construyeron relojes de agua. En los días nublados y en la larga noche, el reloj solar, conocido en Egipto antes que en Atenas, era inútil. No tenía aplicación. Durante el reinado de los Tolomeos, y para uso exclusivo del faraón y los sacerdotes, fueron construidas clepsidras.

En su palacio dorado, durante el sueño del faraón, la clepsidra señalaba el curso de las horas nocturnas. Fundado su mecanismo en la regularidad relativa del descenso del agua contenida en un recipiente con un pequeño orificio de salida, este reloj, de bello nombre, era tan inseguro como el de sol. Marcaba solamente las horas: minutos y segundos quedaban fuera de su artificio. El tiempo del hombre antiguo era vasto e indefinido, dividido en grandes fracciones por aproximación y tanteo. El ritmo de la existencia discurría pausado, menos lacerante. (El apresuramiento del hombre moderno le resultaría incomprensible.) El tiempo tenía vuelo ilimitado. El antiguo carecía del sentido del *instante* perdido. La clepsidra, al contrario del silencioso reloj solar, ya daba al hombre una breve advertencia, aunque apenas audible: el sonido del agua al caer, la gota medida sonando en el agua temporal. Era el primer reloj que se hacía escuchar, y el sonido, por su naturaleza intermitente, impresiona más directamente los nervios y la imaginación que el objeto visual. Sólo relojes posteriores, con su golpe de campanas, portavoces declarados del tiempo, serán admonitorios. Desde la torre de las iglesias, dominadoras por su altura de la ciudad, recordarán a sus moradores la fuga irreversible —para la vida humana— de las horas, camino de la muerte inexorable. *Memento homo.*

Platón, deslumbrado por la invención oriental de la clepsidra, la introdujo en Atenas, sin que llegara a ser de uso corriente. Curioso nexo de un filósofo, inclinado a meditar en lo eterno, con un aparato rudimentario dedicado a medir lo efímero. En su diálogo del *Timeo* afirmó que el tiempo es imagen móvil de la eternidad. No mencionó la clepsidra en este diálogo, ni tampoco el reloj de sol que ya conocían algunos griegos. Ambos relojes no pueden medir la eternidad inmóvil. Pero sin experiencia del tiempo —experiencia que el reloj clarifica— es imposible concebir la eternidad. Sorprende que el trato de Platón con la clepsidra no lo llevara a rectificar el concepto. Si no es divertimento o simple palabra, la eternidad, al contrario de lo que él creía, está hecha de sustancia temporal. Desgraciadamente la imaginación y la experiencia humanas son limitadas. Conocemos algo del tiempo y de su naturaleza, de la eternidad no tenemos noticias. Ciertos hombres esperan llegar a ella (o entrar), pero toda esperanza por tender al porvenir es también de génesis temporal.

Silencioso como el de sol, distinto en el mecanismo al de agua y al de arena —dos recipientes colocados a diversa altura— y menos conocido que este último, compañero de la guadaña en la imaginería medieval de la muerte, detengámonos un instante en el reloj de aceite.

Compuesto por un depósito en forma cilíndrica de cristal o porcelana traslúcida, este reloj tenía en la superficie marcadas las horas, y en su parte inferior un tubo de aspersión con una lamparita sin mecha en el extremo, alimentada por el aceite que llenaba el depósito. Para hacer funcionar el reloj se encendía la lamparita. Como su fuego iba gastando el aceite, empezaba a descender. Cada pérdida de altura daba la hora correspondiente. A semejanza del de arena, transparente también, permitía contemplar el descenso gradual del aceite, al igual que la arena tamizada y seca, contemplar la llegada de cada nueva hora, la llegada y la partida. Sin aparente motivo la llama de la lamparita, produciendo la imagen del decurso temporal mediante el fuego, que late fugaz, persiste ante nuestros ojos con trazo memorable.

Al moverse, el reloj se aproxima a la corriente temporal. Verlo detenido (o roto) nos causa una especie de desasosiego. Es algo inservible. Perdida su función, parece haber perdido su razón de ser. Sin funcionar, aunque sea hermoso, obra de artífice, adornado de piedras preciosas, flores pintadas, esmaltes o caja de cristal de roca, parece mutilado: no da la hora.

Conservarlo en movimiento fue la preocupación de sus inventores. Siendo un aparato que debe moverse para adquirir sentido, necesita de un motor, de una fuerza que venza las resistencias y lo haga andar. El de arena, el de agua y el de péndulo, empleado durante la Edad Media en torres de iglesias y castillos, tuvieron como fuerza motriz la acción de la gravedad, la más sencilla de aprovechar. El de sol, la rotación de la Tierra, principio que, paradójicamente, desconocían sus inventores. El descubrimiento de los relojes mecánicos significó el uso de la elasticidad de un muelle que se enrolla mediante la cuerda, y va desenrollándose al cabo de las horas. Si el reloj mide numéricamente el tiempo transcurrido, a su vez el tiempo transcurre para él: desgasta su maquinaria, su esfera envejece como nuestro corazón y nuestra cara.

El hombre prendía la lamparita, volteaba la ampolleta de cristal o llenaba de nuevo con agua el depósito vacío de su reloj. Posteriormente, cuando hábiles menestrales comenzaron a componer relojes en serie en la época barroca, daba cuerda a la pequeña maquinaria de ruedas dentadas y volante. Descubierto el reloj de bolsillo en 1514 estrecharon su trato, el reloj comenzó a acompañar al hombre a cualquier sitio. Lo sentía en la faltriquera, oculto en el chaleco, palpitar callado recordándole que se apresurara: su vida se iba sin remedio.

¿Qué habría sentido un griego de la época de Pericles si conociera esta relación? Lapsos mayores, como los años, apenas representaban nada en su existencia, igual que los decenios para los antiguos hindúes, que tampoco tuvieron relojes. Pero la hora, y luego mínimas fracciones de tiempo —creado el minutero y el segundero— tienen importancia para el hombre moderno. El reloj de pulsera, descubrimiento posterior al de bolsillo, sin tapa que mantenga en secreto cuadrante y agujas, llevándose al aire y tan próximo al pulso de la sangre, acentuó la presencia inquietante de la marcha del tiempo.

Quizá la aplicación en ciertos relojes actuales de la energía eléctrica, produzca un aparente distanciamiento en este íntimo trato. Un amigo, con su digital en la muñeca, me dijo una vez: «Antes, cuando tenía uno de cuerda, lo sentía más propio. Dependía de mí que anduviera. Este camina solo por varios meses.» Si tales relojes prescinden de nuestras manos para moverse, y solamente las requieren para rectificar sus agujas, nosotros continuamos necesitados de su auxilio. Solitarios en la pared, en el velador, en nuestro antebrazo, van en su busca nuestros ojos interrogantes.

Vivir pendiente del reloj es una invención moderna. Empezó en el siglo XVII: su historia es corta. Cuando su empleo se hizo común en las casas adineradas y luego en las del pobre —rápidamente se desarrollaba su fabricación—, en los campanarios innumerables de nuestras ciudades, en el laboratorio y en el observatorio astronómico, en edificios públicos e industrias, en el interior del auto y en el del avión, hasta en el aparato de video casete actualmente: el reloj se convirtió en imprescindible. El médico cuenta nuestras pulsaciones reloj en mano, y con una suerte de reloj mide el físico sus experimentos. Nos apasionan la hora, el minuto y el segundo mecánicos. Hay coleccionistas privados y museos oficiales de relojes. Existe quien usa varios a la vez.

Si nos regula demasiado la vida y nos acorta el placer, vemos en él un enemigo momentáneo, y lo miramos despreciativo. Quisiéramos detenerlo de un golpe. O cuando la cita es importante o esperamos, quisiéramos adelantarlo con la mano: intervenir en el tiempo. Tanto hemos hecho coincidir el tiempo con su símbolo, que al detenerlo o impulsarlo creemos hacerlo en realidad. Tres silvas compuso Quevedo al *relox* —según se escribía en su época—, una para el de sol, las restantes para el de arena y el de campana. Están plagadas estas silvas de denuestos y versos despectivos. El poeta se sentía molesto con el reloj en sí: le recordaba «los términos forzosos de la muerte».

Nuestro trato cotidiano con el reloj ha generado en nosotros una sensibilidad singular hacia el tiempo y sus problemas, como el automóvil o el jeep hacia el espacio y la velocidad.

Al estudiar el curso de las estaciones, el movimiento de las mareas, el nacimiento del sol y su partida, la conjugación de los verbos, oyendo el ritmo de su propio corazón, el hombre antiguo se forjó su noción del tiempo. Los escasos y rudimentarios relojes que conoció muy poco pudieron influir en ella.

Impelido por su afán de objetivar, el hombre moderno, inserto en las necesidades de un mundo diverso, inventó y perfeccionó el reloj mecánico, y ha vivido rodeado de relojes, a cada momento de mayor precisión. El movimiento de las agujas vuelve palpable, visible para nosotros, la acción invisible del tiempo progresivo. Haciéndola visible la torna más consciente: el tiempo se materializa, como en la cara de la persona amada, en el tronco de la ceiba centenaria, en el cuerpo crecido del hijo.

Recordemos —recurso de raíz temporal— nuestro comienzo: el Narrador enciende un fósforo en la oscuridad: traza una raya en la enigmática fluencia. Hoy, el paso mismo del tiempo torna anacrónico el gesto: esferas lumínicas vuelven perceptible la hora en la oscuridad.

LA INSIDIOSA ERRATA

Nunca olvidaré el hecho. Fue, aunque no son claros en el recuerdo los pormenores, durante la clase de lectura. Yo era estudiante entonces. Quizá ocurrió en cuarto o quinto grado. Quizá después del recreo, cuando entramos en el aula. La profesora había ocupado el estrado y nosotros nuestros pupitres. Al menos esto es seguro. Era habitual sentarse cuando comenzaba la clase. La costumbre de múltiples días parecidos ayuda al recuerdo singular. Ignoro el motivo, pero me parece que el hecho ocurrió en un gran silencio, que todos callaban y atendían, dispuestos a seguir con la vista la lectura que haría un alumno en voz alta, alumno que designaría la profesora. Quizá la memoria añade ahora el silencio para destacar lo ocurrido.

Y de repente, por indicación de la profesora, me tocó iniciar la clase. Me veo al presente levantarme y abrir el libro. De nuevo parecen pasar sus páginas satinadas con dibujos e ilustraciones (la jutía en la rama más alta de un árbol y el majá amenazador enroscado en el tronco, el cortador de caña o las nubes preñadas de lluvia), sus fotos de remotos países y los retratos ovalados de poetas, coronadas las sienes con hojas de laurel, y de nuevo me parece escuchar a la maestra indicarme la página por la que debía comenzar.

Parado en mitad del aula, el libro alzado entre las manos, los dedos en la debida posición, según nos habían enseñado, mi garganta permanecía muda: no atinaba a cumplir la orden de empezar. Tenía los ojos clavados en el título sin atreverme a pronunciar lo que ellos descifraban con tanto desenfado. Desde su sitio la maestra me miraba fijo, levantado el cuello. Los alumnos también me miraban desde sus asientos, enrojecidas las caras, con las manos oprimiéndose la boca.

«¿Por qué no habla? Vamos, lea. ¿Qué le pasa?», me conminó la maestra. Pese a que tenía su libro abierto, no parecía haberse dado cuenta. No leía. ¿O leía sin leer? Mi voz de niño brotó al fin, un tanto estrangulada, «Las viejas de Cristóbal Colón», terminé pronunciando. Como un trueno el aula se sobresaltó. Una carcajada general estalló incontenible. También reí, un poco desconcertado. Recorrí con la vista a mis compañeros, tontamente gozoso, y esto produjo nuevas risotadas.

Estupefacta, la maestra no sabía a qué atenerse: ¿me habría equivocado en realidad o había hecho un chiste intencional? Se caló los espejuelos y hundió la cara en la página. «Es increíble», exclamó de pronto mirándonos a todos boquiabierta, como si nunca antes hubiera descubierto el error.

«¿Y cuántas viejas tenía Colón?», un alumno se aventuró a indagar. «¡Cuatro!», otro gritó fingiendo la voz. Algunos volvieron a reír. «Primera vieja, segunda vieja», comenzó uno a enumerar, «tercera vieja...» La maestra, repuesta de la sorpresa, lo calló perentoria. Tomó un lápiz y, en tanto escribía sobre la página, ordenó: «Donde dice viejas debe decir *viajes*. Rectifiquen la errata.»

Entonces descubrí que los libros podían contener errores de imprenta, erratas, como expresó la profesora. A continuación, ante el pasmo del alumnado, explicó el sentido de la palabra, de ese término que tampoco habíamos oído nunca. ¿Errata? ¿Errata? ¿Qué cosa es eso? Las preguntas parecían rebotar en las paredes del aula. Mirábamos con ojos muy abiertos aquella equivocación en un texto de estudio que nos merecía hasta ese instante confianza ilimitada y casi supersticiosa.

Todos nos afanamos en arreglar la errata. Sentándome, todavía asombrado, tracé la letra *e* arriba de la *a,* y en lugar de esta puse la *e,* como si la trasladara. El cambio resultó simple, el significado, sin embargo, diametralmente diverso. Operación tan sencilla me produjo no obstante una impresión extraña: intervenía en la composición del libro, rectificaba con mi mano inexperta un texto respetable. A la vez me impresionaba como un juego. De ahora en adelante, si me lo proponía, podría cambiar el significado de las palabras deslizando voluntarias erratas. Total, una letrica por otra.

¿No hacía, de menor edad, algo semejante? A la boca me venían palabras sin sentido aparente, inventaba sonidos, vocablos desconocidos por los mayores o que no comprendían, pero que me deparaban una alegría particular, de la que yo solo —como otros niños— poseía el secreto. Una alegría, y a la vez una defensa: estaba *encubierto.*

El lenguaje mismo era un juguete: me divertía con él. Una palabra nueva me producía júbilo, curiosidad, y el deseo de emplearla de inmediato, viniera a punto o no. Entre dos o tres amigos pusimos en práctica un habla *sui generis,* conocida —eso creíamos— solamente por nosotros. Añadíamos un *chi* o un *pe* delante de cada una de las palabras que usábamos. Apenas nos descubrían, cambiábamos de sílaba. En nuestros cantos había palabras que carecían de significado lógica (ríngalo-ringo, ringongó, ambo ató, matarile, rile rile), y que volvería a encontrar de adulto en los deliciosos disparates verbales —ya un tanto lógicos— de *Alicia* o de las jitanjáforas. (Tierno glu-glu de la ele, va de pe en pe, verdeverderil.)

Resulta curioso, lo señalo de paso, el silencio, casi habitual en la autobiografía de escritores, acerca de su encuentro con las palabras, sus reacciones ante el alfabeto, el lenguaje o las erratas, que debieron de impresionarlos tanto como las manías de un tío o las características del barrio en que nacieron, por lo general motivo de reflexión y de prolijas descripciones. Chesterton menciona brevemente el encanto y el misterio inexplicables que le produjeron, de la infancia a la adolescencia, las antiguas mayúsculas del alfabeto griego, la Theta, como Saturno, esfera atravesada por su centro, la Ypsilon, de pie como un esbelto cáliz labrado, «caracteres trazados para dar la bienvenida en el amanecer del Edén». Las letras minúsculas le desagradaban como una nube de mosquitos.

En su autobiografía, titulada irónicamente *Les mots (Las palabras),* Jean-Paul Sartre se detiene sólo en la narración de su encuentro con ellas: «Las frases se me resistían como cosas; había que observarlas, seguirlas de una a otra punta, fingir que me alejaba y volver sobre ellas bruscamente para sorprenderlas descuidadas; la mayor parte de las veces guardaban el secreto.» Tirado en la alfombra de la biblioteca de su abuelo, emprendió un viaje árido y descubrió indígenas extraños: *idiosincrasia, heautontimorumenos, apócope, quiasma, parangón,* surgían de las páginas, dislocando todo un párrafo con su opacidad.

Dos autores han registrado con mayor detenimiento sus reacciones: Elías Canetti y Jaroslaw Iwaszkiewicz. En la autobiografía del primero (ya el título, *La lengua salvada,* alude al tema), se insiste en narrar el encuentro de un hombre, dotado para la creación verbal, con las palabras: sus sorpresas, su estudio y aplicación, el gusto de sentirlas en la boca, de nombrar e inventar las cosas, de poseerlas mediante su designación, la pasión de distinguirlas de acuerdo con su función o su aprovechamiento.

Iwaszkiewicz consigna, en su relato autobiográfico, los prodigiosos juegos verbales de su infancia y las jerigonzas que su familia se forjaba para esconder sus pláticas del conocimiento ajeno o por pura diversión. Con frecuencia ellos mismos llegaban a ignorar de qué hablaban: se extraviaban en un lenguaje inefable que los conducía a la irritación o al silencio, o a lo que es más sorprendente, al inicio del habla humana.

La maestra, aficionada a las etimologías, no perdía la oportunidad de mencionar el origen de algún vocablo. No perdió aquella oportunidad tampoco, y pese a que no daba gramática, manifestó que la palabra errata procedía del latín, terminación femenina de *erratus,* errado. Errata, *erratus,* errado, coreó el aula. (Un condiscípulo se quedó mucho tiempo con el nombrete de Erratus Pérez.) Y de repente dijo alguien —¿o fui yo mismo?— que si a errado se le ponía una hache, se convertía en otra cosa. La maestra se molestó, lo tomó a burla del idioma. Afirmó que el idioma había que respetarlo y preocuparse por su cuidado. De no hacerse, acabaríamos en la gran confusión o en lo inexpresado. Afirmó que jugar con los cambios de sentido o las analogías entre las palabras nos conduciría al desatino o la locura. Finalmente, sonreída un tanto, contó que a la errata, humorísticamente, le daban el sobrenombre de mosca, moscas de la lectura. «Cada vez que sorprendan una, espántenla y sigan leyendo.» Algunos volvieron a reír. Pegaron en sus páginas como espantando moscas reales. Al cabo, se podía jugar con las erratas como se jugaba con las moscas.

Algo diferente me sucedió después.

Tras el descubrimiento de las erratas, mi lectura de un libro varió. Se volvió más acuciosa y un tanto a la expectativa. Esperaba secretamente la aparición de alguna mosca y temía a la vez que apareciera. Me volví incrédulo. Dejé de otorgarle a la letra impresa, como hacía antes, tanta autoridad. La impresión de verdadero y confiable que nos produce de antemano cuanto aparece en letra de molde, se amortiguó. Leía atento, pero a la defensiva. ¿Será una errata? ¿No es esto que leo una errata y estoy, por su culpa, entendiéndolo mal?

Advertida por lo ocurrido en su clase, la maestra tomó sus precauciones. Se dio a la búsqueda de erratas y procedió a marcarlas por adelantado. Antes de comenzar con su clase de lectura indicaba si había alguna en el texto y nos hacía rectificarla. Así nos privó del placer de encontrarlas por nuestra cuenta, de espantar con la punta del lápiz las moscas revoltosas.

Si perdimos un placer, aprendimos algo. Al tomar nota de las faltas cometidas en la impresión, colocando la corrección correspondiente al lado, ella confeccionaba, según nos dijo, una *fe de erratas,* que el libro no tenía. No pudo evitar la mención, arrastrada por su afición etimológica, del término latino del que procedía la expresión empleada, y pronunció encantada *erratum.* Supimos así que ciertos libros poseían al final y otros al principio, una fe de erratas, con su «Donde dice, debe decir», formando pequeñas columnas enfrentadas. He visto luego, crecido y transformado en voraz lector, esas papeletas impresas en tipo diminuto y papel diferente al del texto, azul o rosado, en el interior de algunos libros, puestas como con pena por el editor, pena y cierto orgullo de haber rectificado al menos «las advertidas».

Al igual que existe una colección histórica de erratas insignes, un gran número de lectores tiene la suya particular. Por un tiempo creí que égloga no llevaba acento en la primera sílaba. Muchas veces debo haberla pronunciado así, causando el regocijo secreto de quienes me escuchaban impávidos. Cuando supe que me había aprendido una errata no intenté rectificar: me gustaba más la palabra sin el acento.

Algo parecido me sucedió con el verso de Rubén Darío, «el amor pasajero tiene el encanto leve». Como lo he citado lo conocí. En una edición posterior descubrí la errata: no era leve el encanto, sino breve. Pensé, y todavía lo pienso, que la casualidad o la distracción del linotipista habían mejorado el verso, haciéndolo más hondo. Pasajero y breve son consecuencia lógica el uno del otro, casi resultan lo mismo, lo que no ocurre con el vocablo leve.

Acerca de esta fecundidad de las erratas exclamó Unamuno en cierta ocasión: «¡Cuántas ideas nuevas no han sido sugeridas por una errata!», y citaba a continuación el mito del ave fénix. Fénix, *phoenix* en griego, significaba la palmera y también un ave. El proverbio afirmaba que la palmera renacía de sus cenizas. Si se incendiaba un bosque de palmeras, estas brotarían de nuevo. Después, ignorando que se trataba de la palmera, se atribuyó al ave el milagro de renacer de sus propias cenizas.

En ciertas imágenes aparece la Virgen María pisando la cabeza de una serpiente. «Pues las sagradas letras», es Unamuno quien habla, «no dicen que la mujer quebrantará la cabeza de la serpiente, sino su hijo.» En la traducción se deslizó una errata. Donde debía decir «él», se dijo «ella». Y de ahí el error consiguiente y la creencia de que la Virgen aplastará al Demonio.[1]

En las colecciones generales es abundante el registro de transformaciones de voces inocentes en erratas procaces, que tanto se asemejan a nuestros juegos infantiles plagados de alusiones sexuales y de francas «cochinadas». Cito un ejemplo encontrado en una historia de la Antigüedad. El nombre del ilustre rey aparecía escrito de este modo: Alejandro el Glande. Solté una carcajada y estuve un rato sin poder reanudar la lectura estudiosa.

Una *plaquette* de 1848, que recogía un texto de Poe traducido por Baudelaire, fue mandada destruir por el traductor a causa de una errata en su nombre. En la portada se leía *Beaudelaire*. Quizá este suceso generó la preocupación incurable, casi enfermiza, de Baudelaire por las erratas. Él, descuidado en todas sus cosas, se volvió implacable. Corregía por sí mismo. Se mudaba cerca de la imprenta durante el tiempo de edición de sus libros. Vigilaba, pedía pruebas constantes. Después del martirio de este afán de corrección, la primera edición de *Las flores del mal* salió con varias erratas, algunas turbadoras, como el cambio del título de un poema o *vie* por *ville*, erratas que han creado largas discusiones entre los críticos, y una suerte de imprecisión en ciertos poemas. El lector, pese al trabajo denodado de Baudelaire, ignora qué dijo realmente el poeta en algunos de sus versos. (A su muerte las galeras corregidas por su mano infatigable fueron sacadas a subasta pública y vendidas en cuarenta mil francos, suma que él nunca obtuvo por sus poemas mientras vivió.)

Algo tan menudo, con frecuencia simple cambio o trasposición de letra o de lugar (el viejo soberbio por el viejo proverbio, recetas de un plano por rectas de un plano, piloto por Pilato, viuda por vida, seis sonetos de Haendel para violín

---

[1] Esto también tiene su aspecto cómico o delirante. José Lezama Lima tenía un discípulo tan fervoroso, casi un facsímil: imitaba sus poemas hasta en las erratas.

y piano por sonatas, o fue amante de las cortinas por amante de las coristas, nuestro fruto por nuestro futuro, o esta que se halla en una traducción de Homero: «Fácil es a las deidades del anchuroso hielo, dar gloria a un mortal o envilecerlo», en la que debe leerse cielo, en lugar de hielo), introduce un desasosiego, un pequeño disturbio no sólo en la lectura de un texto impreso, sino en la conversación o en la escritura. Los lapsus son también erratas. *(Lapsus linguae, lapsus calami,* hubiera dicho fascinada la maestra.) O lo eran para nosotros. Tras conocer el término en clase comenzamos a emplearlo corrientemente para designar estas equivocaciones. «Actos fallidos», los denomina Freud. Para el sicoanálisis, que no deja nada a la casualidad y va repartiendo culpas como un dios bíblico, son reveladoras de verdades subconscientes. «No tenemos derecho», afirma Freud, «a despreciar los pequeños signos.» Las erratas son, por tanto, actos fallidos del linotipista o del corrector.

Cuando me sumerjo en la lectura de una novela o, con mayor exactitud, cuando la novela me sumerge, puedo encontrarme en una habitación de un color determinado, ocupando un sillón o tirado en la cama, pero, a medida que avanza la lectura, estos se alejan y comienzan a desaparecer. Cuanto me rodea deja de interesarme. Sillas, cuadros, quedan como borrados por los objetos de la novela, por la habitación que ella evoca o el paisaje que recrea, y que desmaterializan, durante la lectura, el ámbito en el que me encuentro, y mucho más la época en que vivo, el país que habito.

Pero de repente, en mitad de un párrafo, aparece retadora una errata. El efecto anterior se destruye: vuelvo a los objetos presentes. La errata logra abolir la complicidad entre el autor y yo. Viscosa, atrevida, parece hacerme una mueca desde la página. Ya no estoy en Rouan, sino en mi cuarto. No asisto a la agonía de Emma Bovary, pues dice la errata: cerar los párpados. ¿Es que le han puesto cera? ¿Pueden encerarse los párpados de una moribunda? Ocurre con la errata lo mismo que con la taza que cae durante una representación teatral cuando no debía caer, o cuando la fosforera se niega tercamente a encender el cigarro: la realidad que nos rodea recobra su presencia y acaba por imponerse.

Todo autor sabe por triste experiencia que sus textos están, en mayor o menor medida, bajo el fuego de las erratas. Ellas corroen la precisión de su escritura, su belleza o acierto, introducen sutiles variantes en sus ideas. Ahora un término y después otro se deslizan hacia la confusión o la torpeza. Si toda obra está amenazada por el olvido, pese al noble intento de preservarla, la insidiosa errata trabaja en auxilio de esta posible desaparición. Es desolador contemplar la edición crítica de los clásicos, plagada de notas en las que la paciencia erudita intenta salvar palabras indescifrables o inexactas.

EL JUEGO DE DOMINÓ

«¿Vamos a echar una partidita?» Pasan un fin de semana en la playa y han terminado de comer. El día, que fue hermoso y soleado, aún parece permanecer en sus cuerpos. A la sugerencia, dos se levantan presurosos y dispuestos. Otro se ofrece de inmediato para completar el número de jugadores. Y mientras dispone la mesa, recuerda que su padre, siendo él muchacho, lo enseñó a jugar dominó.

Ciertas noches de sábado, vestido con su guayabera de hilo y la botonadura dorada, su padre se despedía de la familia, abandonaba la casa, también como ahora después de la comida. En aquellos tiempos y en Santiago, la comida concluía al filo de las siete.

Tras esta salida, su madre se aproximaba para ordenarle: «Síguelo y cuéntame dónde va y lo que hace.» Y él, con el fin de cumplir la triste misión que su celosa madre le encomendaba, lo seguía escondiéndose, disimulando, sin dejarse descubrir.

El padre se encaminaba —invariablemente— al mismo sitio. (Sitio que ella ya conocía por los detallados relatos anteriores que el hijo le había hecho.) Calle Heredia abajo, caminando con paso decidido y alegre, llegaba a la Colonia Española —especie de casino en la década del cuarenta—, y no se marchaba de regreso a su casa hasta pasadas las once.

Escondido detrás de los ventanales que daban a la calle, el hijo lo vigilaba. No se atrevía a entrar: sería delatar la orden confidencial de su madre. Veía desde su escondite el interior del caserón: el salón de lectura, donde había pocos libros y muchos periódicos, en sus balances se mecían algunos viejos, y luego el salón de billar, cuyas lámparas, colgadas bajo, esparcían la luz sobre los verdes tapetes y parecían —¿o es efecto del recuerdo?— contaminar de ese color el resto del recinto, y por último el patio de cemento, muy cuadrado, con sus mesas de juego y sin una planta.

Acompañado de tres jugadores más, ocupaba su padre una de estas mesas de dominó. Él oía el ruido de las fichas pegar seco y rodar en la superficie lustrosa de la madera. Veía pasar a los camareros con bandejas de limonadas y licores, y detenerse en cada grupo. Los jugadores, también su padre, tras colocar los vasos en los extremos de la mesa, bebían un sorbo rápido y se sumían de nuevo en el juego. Abierta hasta la mitad la guayabera, su padre se entregaba totalmente al dominó. De pronto se espantaba el calor o fumaba, dejando caer la ceniza, absorto, en uno de los ceniceros de las puntas de la mesa.

¿Cómo sería ese juego ignorado, lleno de ruidos, comentarios y repentinas bromas, golpes de fichas o silencios imprevistos y duraderos, juego misterioso que él no podía conocer? Esa era la ocupación de su padre, su afición.

O como su madre diría, era *su querida.* Terminado el trabajo, ganado el pan, bañado y vestido de limpio, semejante al que cumple las reglas de un rito, dedicaba las noches de cada sábado al placer de jugar.

Uno de esos sábados algo imprevisible ocurrió: su padre lo sorprendió detrás del ventanal. Lo tuvo de repente a sus espaldas, sin que se hubiera dado cuenta ni pudiera evitarlo. Tal vez por conversar con algún amiguito que pasaba o por cualquier otro descuido de muchacho había sido descubierto. Fue entonces cuando le dijo algo que nunca hubiera podido sospechar: «Desde hace tiempo sé que me sigues y te quedas escondido tras las persianas. A tu edad encanta curiosear, y podría apostar que deseas jugar dominó. Pero antes de que entres, debo enseñarte. Vendrás cuando sepas defenderte. Un hijo mío no puede hacer el ridículo delante de jugadores expertos.»

En la casa comenzó a darle clases. Le enumeró las reglas y le mostró múltiples combinaciones. Para él reprodujo diversas partidas que personalmente había estudiado o jugado en alguna ocasión. Sobre la mesa del comedor y en ausencia de la madre —nunca hubo en la casa mesa de dominó y en presencia de su mujer no le gustaba jugar—, colocaba paradas y ordenadas las fichas como delante de jugadores invisibles. Desplazándose de un puesto al otro, desarrollaba la partida. Él lo seguía, atento a cada indicación, a la clave sobre una salida o un descarte. Semejaban las fichas soldados en posición de entrar en batalla. Otras veces, sentado ante su hijo, se convertía en su contrincante, jugando con las fichas al descubierto para darle una explicación o un consejo.

Cuando determinó que el muchacho sabía jugar, o según decía, *defenderse,* lo llevó a la Colonia Española y lo presentó a sus amigos jugadores, diestros y apasionados doministas. Así comenzó a asistir a estimulantes y largos encuentros, entusiasmado por el juego que su padre le había enseñado, como el fervoroso maestro japonés adiestra a su discípulo en el arte del arquero.

Dispuesta la mesa y colocadas las sillas, una sonrisa acude a sus labios. Sus amigos han ocupado sus asientos y designado a quien ha de anotar los tantos, cuando ve la figura menuda de su madre, insistente en sus celos como buena criolla, acercársele en la memoria con una nueva misión de vigilancia. No era ya necesario, a partir del momento en que su padre lo llevó voluntariamente, andar oculto, y ella le pedía, ahora que podía hacerlo de cerca, escuchar la conversación que sostenía su padre, y si pronunciaba algún nombre de mujer, retenerlo en su fresca mente juvenil y comunicárselo después. Con los días su madre comprendió la inutilidad de su espionaje. Comenzó entonces a denigrar el dominó. En una ocasión dijo algo tremendo: «Dejarme por unas fichas es el colmo.»

Colocada la caja encima de la mesa, de la que han retirado el mantel dejando lisa la superficie, al descorrer la tapa para vaciar las fichas, su memoria, agudizada por el presente, le ofrece otro hecho pasado.

Entre las cosas que su padre le dejó al morir, junto al reloj Juvenia de bolsillo, se hallaba, en su caja fina y reluciente, un juego de dominó. Era de un marfil transparente, nítido el negro de los puntos. Lo había comprado a un anticuario. Cuando lo abrió —como ahora— para vaciarlo en la mesa, encontró una colección de papeles de China doblados, y al principio creyó que su padre había olvidado dentro un documento o algunas cartas. Repasó los papeles con emoción: eran breves anotaciones acerca del juego, de su origen histórico, y varias recomendaciones e instrucciones. La escritura debía datar de sus últimos años, cuando apenas su padre jugaba ya. Quizá le gustó escribirlas: era como volver a jugar, o al menos ocuparse de algo que había llenado muchas horas de su existencia. El texto estaba copiado con esmero, las letras firmemente terminadas. De tan frágiles hojitas emanaba cierta seguridad, cierto carácter reflexivo que distinguía a su padre.

En la primera página insistía en la necesidad de no convertir el dominó en un vicio. *Es un juego de destreza. Implica cierto despliegue, para mí majestuoso. El jugador planea su estrategia con antelación al momento de colocar la primera ficha, le toque o no salir. Esta elaboración, este vislumbre del futuro, se semeja a una construcción matemática, salvando la distancia entre un juego y una ciencia. Pero hay en el hombre, en su manera de imaginar y planear de antemano su conducta, constantes que se repiten. Varía el nivel o la intensidad. Por eso, hijo, debes cuidar de no convertir el dominó en corrupción. No lo juegues por dinero. No es necesario, además, para mantener el interés. Como ocurre con el ajedrez, el dominó se basta a sí mismo. No requiere apuesta económica, estímulo ajeno. Le bastan su propio desarrollo, tan múltiple y variado, sus episodios emocionantes, el cálculo de las jugadas que se encadenan unas con otras hasta el final, de manera casi perfecta. (Huye de todo juego perfecto: no es divertido ni estimulante. Aspira a la perfección sin alcanzarla nunca. la perfección es el final y la muerte de cualquier asunto, problema o cosa.)*

El dinero es un gran contaminador —continuaba afirmando en la hojita siguiente—, *y acaba corrompiéndolo todo, incluso el amor. Suelo pensar que cuando cesen las relaciones financieras que rigen la sociedad, sabremos realmente qué es el amor. A veces al jugar, pendiente exclusivamente del trazado previo de mis combinaciones, del ejercicio rítmico de la mente, me parece encontrar —encuentro fugaz— la posibilidad de realizar un hecho que no aspira a ser recompensado, que un financiero tildaría de «inútil». Recapacita en esto y juega por jugar. Es el modo más profundo y humano de hacerlo.*

Porque los juegos son creación humana. Me refiero a juegos como el dominó y el ajedrez, el boliche o el billar. Los animales juegan de diferente forma —decía en otra hojita—. *El juego para ellos es retozo. En nosotros es un adiestramiento de aptitudes. No dudes que el juego desarrolla la inteligencia y el cuerpo. O me gustaría mejor decirte, el cuerpo y la mente.*

No esperes que el dominó te enseñe un oficio, pero te servirá de instrumento mental para algún oficio futuro. Creo haber leído en alguien la afirmación de que es tan humano, invento tan humano, que se opone a la naturaleza en cuanto esta es violenta o sin reglas. La naturaleza —quizá— no nos ofrece acuerdo previo, como hace el dominó cuando se aceptan sus reglas, y esas reglas son un invento del hombre, de nosotros. El dominó, como todo juego, es un refinamiento, una norma. El dominó no es pródigo y brutal, es económico y ordenado. No debes exagerar estas diferencias con la naturaleza, que sabe tener su economía y su orden. Que te sirvan sólo de pauta para distinguir el juego en general de las creaciones naturales.

El dominó es una manifestación de nuestro ingenio y de nuestra habilidad. No produce nada efectivo, como lo hacen el trabajo o la música. Al final de la partida, contados los tantos, vueltas bocarriba las fichas, no queda nada. Todo vuelve a ser como antes a nuestro alrededor: ni azúcar ni bolero. Y mucho menos, capital. El dominó es un momento de puro gasto, gasto de tiempo y energía, y hasta de dinero con el cual adquirir «las cosas del juego». Como se trata de un juego entre compañeros, hay que pasar algo: unos tragos, un saladito, cervezas frías... Y ahí tienes ocasión de otro gasto. Pero esto, para mi gusto, debe hacerse al final de una partida. El juego ha de interrumpirse lo menos posible. A los verdaderos jugadores nos molestan tales interrupciones. Estamos absortos, en otro mundo. Tomar algo es salir de dicho mundo, tocar tierra, como se dice, y es un decir muy justo. El dominó es un combate de dos a dos, o de dos contra dos, para serte más preciso. Competimos en condiciones de igualdad ideales: todos tenemos el mismo número de fichas y las mismas reglas. Y lo que más anhelamos, lo que nos gusta y hasta resulta uno de los móviles del dominar, es el reconocimiento de nuestra capacidad, de nuestra excelencia como doministas. Todo esto supone una concentración máxima, una atención fija y sin distracciones. Por eso se brinda algo, pero al final de cada partida, cuando llegan los comentarios de las jugadas y los jugadores necesitan reponer fuerzas.

Ya habrás oído que el dominó es diversión. Que se juega para divertirse. Se juega cuando se desea, cuando el deseo te pica en las manos y comienzas a ver en la mente el despliegue de ciertas combinaciones de jugadas. Extrañas entonces el juego, y lo buscas como se busca a una antigua amante. Yo esperé el sábado siempre con ansiedad: era mi día, el más personal de la semana. El dominó nos permite huir de nuestras preocupaciones habituales: nos divierte. Pero lo hace con nuevas preocupaciones, absorbiéndonos de la vida corriente y poniéndonos en otro plano: en el de las cuatro esquinas de la mesa. Mientras dura, y mientras vuelve a iniciarse tras cada nueva data, no hay otra vida ni otro mundo. El dominó nos hace entrar en un espacio reservado y único, sin otras eventualidades que las del propio juego. Y aprende esto, hijo: es un acto libre. Se participa, se

118

entra o se sale, cuando a uno le da la gana. Siempre es lícito decir: «No juego más.»

¿Qué viola el tramposo? —se preguntaba su padre en otra página—. *Viola las reglas del dominó. Es decir, abusa de la confianza de los demás jugadores. Pero hasta el tramposo aparenta respetar las reglas del juego. En el espacio de la mesa y durante el tiempo que se decida jugar, las reglas claras y precisas del dominó sustituyen las embrolladas leyes del mundo. Sin aceptar y cumplir estas reglas no hay desarrollo correcto del partido. El dominó empieza realmente después, con la destreza personal de cada uno, desde que se sale por primera vez hasta que se pone la última ficha. Pues dominar, para el dominista, es inventar, proponer y responderle al compañero con libertad, dentro de los límites definidos por las reglas.*

Sé que muchas veces te habrás preguntado por el origen del dominó. Yo también, cuando empecé a jugarlo, me interesé en su historia. Pocas cosas, hasta el momento en que te escribo estos apuntes póstumos, están esclarecidas para mí sobre este punto. He sabido que es uno de los juegos más antiguos de que se tiene noticia. Egipcios, chinos y árabes lo conocieron. Algunos tratadistas afirman que los árabes, durante la Edad Media, en el siglo VIII, lo llevaron a España, y de aquí pasó a Francia. En otros encontrarás la tesis de que tal vez al mismo tiempo penetraba en Europa por obra de los turcos y a través del territorio de los Balcanes. En Italia fue muy cultivado, y de aquí, por el contrario, afirman otros que pasó a España.

Sobre su origen me inclino por la tesis orientalista. Sus características, la forma de las fichas y las figuras jeroglíficas que van apareciendo en el tablero al jugarlo, ayudan en algo esta tesis. Tal vez fue inventado por los chinos, aficionados a los juegos capaces de probar la paciencia, habilidad e inteligencia de los seres humanos.

Lo que parece cierto es que fueron los monjes medievales quienes le dieron su nombre y quienes quizá introdujeron modificaciones en el juego original. (Dominó es palabra de procedencia latina. Viene de dómine, *preceptor de gramática.) Fue muy cultivado en los conventos, hecho que está comprobado. Los monjes lo jugaban en el silencio del claustro, y esto quizá te extrañe, pues conoces y practicas la versión nacional, bastante ruidosa, jocunda. En los conventos, de donde se propagó lentamente al exterior, lo consideraban un juego que se hizo para mudos.*

Sobre este aspecto terminaban aquí las anotaciones. Una raya las separaba del resto. Posteriormente él se interesó por encontrar la fecha en que se introdujo en Cuba. Realizó sus propias pesquisas. Como tantas cosas, insignificantes en apariencia, el dominó no ha llamado la atención de la historiografía nacional. La etnología lo ignora beatíficamente, como ignora la cocina o la forma del vestir. En el siglo pasado el dominó pasó inadvertido, sin llegar a convertirse en el juego nacional de mesa, como sucedió en las primeras décadas del presente. No lo menciona Saco en su estudio dedicado al juego y la vagancia. Ni Villaverde, Meza o Nicolás Heredia lo recogen en sus novelas. No es hasta este siglo, en las de Carlos Loveira, donde ha encontrado que el dominó es motivo de la narración o práctica de los protagonistas. Los cubanos del xrx eran jugadores de apuestas. El monte, el tresillo y otros juegos de naipes figuraban entre sus favoritos. Ninguno, hasta donde él conoce, era dominista.

¿A qué tipo de juego pertenece el dominó? Tal asunto quizá debe haberte inquietado. Te hablé de la competición. Te hablo ahora de otra categoría en la que podría ser clasificado, entre las variadas clasificaciones que se han dado de los juegos. Esta categoría es el azar. Me parece que en el dominó ambas coinciden y se mezclan: lo competitivo y el azar.

Te hablaré del azar.

¿Qué hace el misterioso azar en el dominó? Pues, hijo: rige las datas de cada jugador. A uno le tocan ciertas fichas, no las escoge. Son secretas. Cuando las vuelves bocarriba y pasas a ordenarlas, es el azar el que ha intervenido. Me

«cayeron» el doble nueve o el doble blanco. Y a veces los dos. El azar ha puesto en mis manos su selección de sietes. Yo juego (o se juega) a partir de la data que él me ha compuesto. Mi deber como dominista es saber explotarla desde la primera jugada hasta la última. Tener buena memoria, planear una estrategia, comunicarla a mi compañero mediante ciertos recursos doministas. El poderoso azar interviene además en un imponderable del juego: el grupo de fichas que se quedan sin repartir. ¿Cuáles serán? Es una pregunta que todo dominista se formula en el curso de la partida. Las que se han quedado en el extremo del tablero sin dejarse conocer, bocabajo, representan una incógnita donde el azar también ha escogido lo suyo.

«Adivinar» lo que repartió el azar a tus contrincantes es decisivo. Observar la salida de cada jugador es un indicio importante. Una excelente pista. El resto queda a tu penetración sicológica. Como los ojos humanos no pueden atravesar el marfil de las fichas como hacían a través de las cosas los ojos mitológicos de Argos o actualmente los rayos X, el dominista deberá descifrar la data oculta en la cara de sus competidores. Debes tener sicología, analizar el carácter de los demás. Cuando se acostumbra jugar con las mismas personas, la experiencia vendrá en tu ayuda. Pero fíjate siempre en las caras: las hay transparentes y simuladoras. Toma esto en cuenta: muchos jugadores usan sus caras para despistar. Fingen una tristeza infinita o un júbilo desbordante para engañarte respecto a lo que les ha tocado en suerte. Parecen «llevar» de todo o «llevar» de nada. Cuídate. Descubrir la máscara del jugador es también utilizar la penetración sicológica.

En la última página había escrito el padre una sola observación: *Encuentro entre el dominó y nosotros como pueblo verdadera solidaridad. Por algo nos atrae tanto y resulta nuestro predilecto en su género.*

Al cabo para él esta afinidad (solidaridad, según la llamaba su padre) reside entre las reglas del dominó y las cualidades y defectos corrientes de una colectividad determinada. Conductas, gustos, aberraciones, formas del razonamiento se manifiestan al jugarlo y al comentarlo tras cada partida. Si no es propiedad nuestra ni nuestro invento, ha sido modificado, adaptado a nuestra manera de ser, piensa mientras revuelve las fichas.

Sus amigos esperan el reparto. ¿Quién se aventurará a diagnosticar sus sicologías partiendo de un análisis de sus maneras dominísticas? Observa a sus adversarios y luego a su compañero. Deja de revolver. El juego está a punto de empezar.

EL BLANCO

Ya conoces, amiga, una de mis predilecciones: dar un paseo por La Habana, duradero en tiempo y largo en recorrido, cada vez que se me ofrece una tarde libre. Salgo cuando el sol declina —qué anticuado vocablo, pensarás con tu ironía usual— y camino la parte vieja de la ciudad, el centro o el Vedado. Como no gusto de montar en guagua, sólo me alcanzan las fuerzas y el tiempo para recorrer una de estas zonas cada tarde. Me agrada hacerlo a pie, ser todavía un peatón, especie casi extinguida en las grandes ciudades. Tengo la ilusión del conocimiento táctil, sensual. Pisar la ciudad, no tan sólo mirarla, se me antoja una forma muy eficaz de conocerla. ¿Habrá en esto una manifestación de lo que llamaban los antiguos el Eros cognoscente?

Me gusta citarte una frase de André Gide: «No me basta con leer que las arenas de la playa son suaves; quiero que mis pies desnudos lo sientan... » Y como no puedo dejar de ponerte un ejemplo, pienso en esos médicos que ya no tocan el cuerpo de sus pacientes, el lugar donde estos dicen que les duele, sino que esgrimen el bolígrafo y pasan de inmediato a recetar. Les basta oír los síntomas, como a otros basta mirar desde sus autos la ciudad.

Ya te veo sonreída mover la cabeza burlándote. «Eres un tipo medieval», en una ocasión me dijiste tras oírme opiniones parecidas a estas.

Debo advertirte, amiga, que no me engaño sin embargo. Admiro el método de conocimiento con tanta simpleza enunciado, pero sé que pasear habitualmente una ciudad sin leer su historia o estudiar su desarrollo no garantiza por sí solo el conocerla. Con frecuencia, además, durante un paseo, yo mismo descubro alguna cosa nueva, fuentecita o mediopunto, un personaje callejero, una perspectiva diversa, el final de una calle, una columnata que resume en su estilo, muy al modo latinoamericano, los tres órdenes clásicos. Tales descubrimientos, nada pequeños a la vista, suelen permanecer ocultos al paseante habitual.

Sospecho que tu curiosidad femenina implacable encuentra motivo en la última observación incidental, y en ella se ha detenido. Debo ponerte otro ejemplo con el fin de satisfacerla. Poetas latinoamericanos, Sor Juana entre ellos, escriben, digamos, un soneto, y mezclan versos gongorinos con culteranos, uno a lo Góngora y otro a lo Quevedo, antípodas y enemigos irreconciliables en Europa, no en la inmensidad del espacio americano donde los contornos se difuminan rápidamente y estilos opuestos logran novedosas conjunciones.

Suelo decirte que la costumbre y el hábito entorpecen la comprensión o el descubrimiento. (¿Cuántas puntas tiene el tenedor que usas?) Frecuentemente es necesario un sobresalto, una ruptura, para percibir realmente lo que nos rodea.

No miramos a veces, o miramos como en una especie de recuerdo: creemos conocer de antemano. En vez de pasar, vamos de regreso. Y ahí está la fuentecita auténtica, virgen, haciéndonos una seña inútil.

Uno de estos sobresaltos me ocurrió días atrás. Tuvo origen en la lectura de un libro. También pudo tenerlo en la contemplación de una foto. Puede suceder que una foto —antes lo ha descubierto el fotógrafo— nos instruya en mirar algo inédito. Como en la naturaleza, en la ciudad hay escondidos tesoros, matices y detalles fascinantes.

Quizá recuerdes la advertencia de Martínez Estrada que se halla en una de sus obras, tan conveniente a gente como nosotros, habitantes de ciudades, cuando afirma que la vida urbana pervierte los sentidos. O si consideras el término «pervierte» exageración patética, acepta al menos que suele amortiguarlos. Quizá, se me ocurre ahora, no sea tanto consecuencia de la ciudad misma, sino de la prisa, la monotonía de ciertos trabajos, la rutina de los horarios... Y cita el argentino a Weintzel, quien le enseñó a mirar atento, con su *ojo* fotográfico, trozos en apariencia insignificantes: la caja de fósforos junto a la rueda de un automóvil, los pies que suben una escalera. Es tan frecuente que nuestros *ojos* ciudadanos solamente nos sirvan de lazarillos: evitar el tropezón con los demás, ayudarnos a cruzar la calle, a ganarnos el pan.

Según te dije, fue la lectura de un libro, del libro que conforman las hermosas cartas que en 1851 escribió Fredrika Bremer a su hermana describiéndole su estancia en esta isla. De cuando en cuando releo estos textos de lucidez lírica y penetrantes observaciones, y mientras contemplaba la otra tarde una casa blanca del Vedado, me sorprendió recordar la afirmación de la autora, en la primera de sus cartas, de que los habaneros, y quizá por extensión los cubanos en general, rehuían en el siglo pasado pintar de blanco sus viviendas.

La ciudad tenía, para la Bremer, un aspecto especial. En las paredes prevalecían el azul, el amarillo, el verde o el naranja, nunca el blanco. O como ella afirma, estaban siempre pintadas, pues el blanco en su época era, al igual que el negro, ausencia de color. Y apunta una interpretación singular: «Se teme el resplandor de la luz sobre las paredes blancas, ya que daña la vista.»

Frente a aquella casa blanca, el recuerdo de estas líneas estableció un nexo de opuestos, una asociación, no de similitudes, sino de antagonismos. No me tildes de paradójico: es un modo de conocer, y a la vez de explicarte el origen del sobresalto. En contraposición con el pasado que consigna la Bremer en su carta, me parece que el blanco asoma en el presente por diversas partes de la ciudad, y este cambio resulta interesante. No pienses que juzgo La Habana transformada en la blanca Arequipa, a más de dos mil metros sobre el nivel del mar, entre nubes, o en Almagro, donde hasta el empedrado de las calles parece blanco, en la mítica Bagdad de *Las mil y una noches* —caso de una ciudad que figura, más que en la realidad, en las páginas de un libro— emergiendo a la vista del viajero como evaporación de las arenas infinitas del desierto, en el intento de negarlo por un instante, pero hoy Fredrika Bremer no podría escribir a su hermana afirmación tan rotunda como la que hizo durante su viaje. Fachadas, puertas y ventanas, interiores, paredones solitarios, balconajes, rejas y monumentos, son ahora blancos. En algunos casos, totalmente blancos. ¿No temeremos ya por nuestros ojos? ¿Habremos aprendido a vivir con la pupila irritada?

Quizá desde tiempo atrás descubrí esta gradual conquista del blanco, síntoma de una nueva sensibilidad para el color, pero sin llegar a convertirla en hecho mental. Dormía en el limbo de la subconsciencia hasta que la punzante advertencia de la Bremer la muda en concepto comparativo y en tema de estos renglones. Te la digo, te la escribo. Unamuno consideraba que cuanto persiste mudo, sin aflorar en palabras ni hacerse verbo, no puede reconocerse del todo. Se ignora a sí mismo —ejemplarizaba— el amor inconfesado.

Parece que el temor al blanco duró varios años después de la visita de la Bremer. En mi adolescencia, hacia la mitad del siglo XX, eran todavía poco frecuentes las casas blancas, el blanco de las edificaciones. Este color ejercía (o ejerce) influencia inquietante, perturbadora, sobre algunas personas. ¿No es cierto? Debes haber reparado en ello y ahora te lo vuelvo consciente: te lo fotografío. Cuando alguien se aventuraba a elegir tal color, se producían rápidas y numerosas reacciones contrarias. Para las habitaciones se elegía el azul claro, un rosa pálido, para las salas, el gris. O un amarillito, según decía una de mis tías, apretándose la yema de los dedos como si de ellas brotara el color.

Cuando esta tía se enteró de que estaba decidido a pintar mi casa de blanco, se me presentó airada, seriamente ofendida, para intentar disuadirme del error. Mi elección le resultaba inconcebible. Blancos debían ser, para ella, asilos, hospitales, y los sepulcros, y aquí su voz sonó fúnebre. No podía admitir de tal color más que el cuarto de baño, si las piezas tenían otro. Al confiarle que eran blancas, lo pensó un momento y admitió a regañadientes que lo pintara, pero, y su índice se alzó en prevención, nunca entraría, ni en la mayor urgencia. «Me perdería ciega entre tanto vacío.» En mitad de sus reproches y argumentaciones, lo recuerdo con blanca claridad, me fijé en su blusa: era blanca.

Repara, amiga: las ropas de este color no sufrían el veto. Y desde el siglo XIX, con períodos cortos de desaparición, ha sido usual en la vestimenta cubana.

Por supuesto, las novias siempre lo llevaron ante el altar, aunque, y en esto enfatizaba mi tía con burlería criolla, ya no fueran vírgenes. Símbolo de pureza y de castidad, blancos son lirios y azucenas, flores con las que en la época romántica se comparaba a las muchachas.

Recurro al testimonio de otra viajera, Fanny Elssler. Vino diez años antes que la Bremer, y en su diario, también en forma de cartas a una hermana —dirás, lo sospecho, que yo empleo idéntico recurso, puro anacronismo en nuestro tiempo— consignó que los hombres, en invierno y en verano, llevaban el pantalón y la pechera blancos, oscuras las levitas, y las mujeres, jóvenes o ancianas, de blanco completo, un toque de color sólo en los lazos del cabello. «Estas ropas claras les otorgan un aspecto vivaz y brillante.»

Otra vez, amiga, la alusión a la claridad, al resplandor del blanco tan sorprendente o temido (con razón pretendió Goethe que los colores obran sobre el alma, excitan sensaciones y despiertan emociones), sinónimo de la luz solar, al igual que el color negro lo es de la noche y de la oscuridad. Curioso que en el teatro, donde Fanny Elssler se encontraba cuando realiza su observación, bajo múltiples lámparas de gas, vuelven a aparecer símbolos de las viejas teogonías, la lucha entre el reino de la oscuridad y de lo esplendente, como en el *Gilgamesh, Bhagavad-Gita* o el *Popol Vuh.*

Ya en nuestra época el traje de los hombres llegó a ser tan blanco como el de las mujeres: la levita oscura fue sustituida por el saco de dril cien, el sombrero de paño negro, por el claro jipi. Más adelante, hacia la década del cincuenta, los zapatos también se usaron blancos.

Aunque mi tía solía referirse más bien al miedo que el color le producía, no debo soslayarte ciertos factores que pueden influir en la impresión que nos causa: es costoso de mantener, amarillea fácilmente, se ensucia, es necesario poseer varias mudas, tiene algo de intocable y lejano. Contradiciendo la opinión corriente, un amigo me ha dicho que es el color más sucio y oportunista: todo se le pega y pega con todo.

Como la vida es una red intrincada en la que una cosa remite a otra, tras mi pequeño sobresalto mirando la casa blanca del Vedado, lo blanco se convirtió en mi preocupación por varios días. Lo encontré en todas partes, poesía, flor, plástica, señales de tránsito. En un filme, *Érase una vez en América,* se emplea en dos sentidos, tal vez opuestos. No lo sé con exactitud, amiga. Eso tiene este color: su ambigüedad, que va desde la pureza mística a la excitación erótica: «Entre los blancos muslos de Leda», dice Rubén Darío, en cuya obra, al igual que en la de Martí, abundan connotaciones diversas sobre lo blanco.

Vuelvo al filme. Por las alcantarillas de las calles asciende difuso un humo blanquecino, casi mágico, constante. Tiene su explicación naturalista: es producido por el frío que hay en la ciudad. Pero es tan insistente, tan abundante, que la explicación naturalista no basta. No sabría definirte con exactitud la sensación que me produjo: parecía darles a las cosas un aspecto evanescente, menos sólido, más temporal. Y aquí se me ocurre una observación. Ignoro si has advertido que las dimensiones de una habitación pintadas de blanco, de un espacio cualquiera, semejan duplicarse. Adquieren extensión, lejanía, las paredes resultan menos corpóreas, si puedo expresarme así. ¿Será un efecto de su limpidez? El blanco sin duda *abre,* y siendo tan preciso, color sin mezcla, torna imprecisas las cosas, las *pone* en la luz, y conocemos el efecto de la luz excesiva: eclipsar toda forma. Los cuerpos y las cosas se convierten en su prolongación. Lo blanco se aproxima a esta posibilidad. (Virgilio Piñera ha narrado esta experiencia en su relato «*Salón Paraíso.*»)

El otro efecto del filme se relaciona con el hecho de recordar, y radica en esa cualidad de lo blanco: disolver. El protagonista, ya envejecido, regresa tras muchos años al bar que frecuentaba en su juventud, retira el mismo ladrillo de la pared del baño, colindante con la trastienda del bar, tal como hacía entonces, y vuelve a mirar en esa dirección: de repente, según suele ocurrirle al recuerdo, reaparece, para nosotros en la pantalla y para él en su memoria, un momento del pasado: la muchacha que amó en vano realiza de nuevo una de las prácticas de danza que solía hacer en aquel lugar de la trastienda. ¿En qué color ve ahora este instante, en qué color lo vemos? El recuerdo se produce en una atmósfera blanquecina. Lo blanco, al disolver, nos revela el tiempo transcurrido, la sustancia del recordar, desvaído y distante. Pero no sólo el efecto del recordar, sino una valoración del recuerdo, una doble distancia: ha pasado y es irrecuperable en la realidad, y a su vez implica la imposibilidad del amor inútil, no correspondido.

Sin duda, amiga, y he intentado comprobarlo en mí mismo, los recuerdos, mientras más apartados en el tiempo y en el espacio, más blanquecinos: apenas alcanzamos a descifrar el color de la habitación, de las ropas que figuran en lo que recordamos. Como a su vez, y quizá lo has experimentado, las cosas carecen de algo, ha desaparecido un fragmento de la mesa, el diseño de la blusa. O hemos cambiado el sitio, y no sabemos por qué hemos agregado unos árboles. El fondo del recuerdo, donde se precisan estas imprecisiones, está muy cerca del blanco.

Hace un momento te mencioné a Martí. Plurales y ricas son sus referencias a la cualidad de lo blanco, en su poesía y en su prosa. Me detengo en *Lucía Jerez.* Se inicia con la descripción de una magnolia de inmaculadas flores, podada por el jardinero de la casa. Es de mañana, bajo un cielo claro. Las columnas del corredor son de mármol, de muselina blanca los vestidos o de seda crema, y una sentencia en boca del narrador define esta escena fulgente: «El alma humana tiene una gran necesidad de blancura. Desde que lo blanco se oscurece, la desdicha empieza.» Posee Martí su heráldica de animales: el águila, la tórtola... Aves no blancas, que sin embargo lo son para él.

Pero lo que me resulta más inquietante son las fiestas que hay en sus versos, esos bailes que terminan en una especie de blancura, sinónimo de ausencia del cuerpo y de muerte moral. (Villaverde había trazado antes una fiesta de similar categoría metafísica en *La joven de la flecha de oro,* que podría emparejarse, no sólo con estos bailes de la poesía de Martí, sino por igual con la fiesta esplendente y cruel, presidida también por lo blanco, a la que asiste Emma Bovary impulsada por su afán de figurar y de ser otra.) En las fiestas de los versos de Martí los lirios se quiebran, se manchan las violas. Dos de estos poemas, «Baile» y «Baile agitado», ambos de 1879, en este aspecto ignorados por la exégesis, reflejan el «triste placer» de un espectador del sarao donde alzan el jerez pálido blancas manos trémulas, donde gasas, tules níveos, embridan los cuerpos, y donde todo va apagándose despacio, yerta muestra de confidenciales miserias. Servilletas manchadas, roídos perniles, rizos y bucles, broches, lazos, alfileres, huellas abandonadas en un salón vacío, desolados vestigios del fin de la fiesta, bajo una luz de reflejos blancos.

Ahora, amiga, estoy ante la última página, página intocada, impoluta, como el pintor frente a su tela antes del primer trazo, y me recorre el escalofrío que lo blanco genera, el que sentía Mallarmé o el que expresó Rubén Darío en este verso: «En el vago desierto que forma la página blanca.» Esta nada es una página preñada de sueños intactos, sueños por soñar. Es el blanco que hay que manchar, ir cubriendo pesadamente: es, ya lo has oído, un desierto blanco. Voy a trazar el final con leve sobresalto. ¿Un blanco no es el intermedio entre dos cosas? ¿Un silencio en torno? ¿Espacio que, por cualquier motivo, se deja abandonado? ¿No se dice, amiga, hay un blanco al final de la página? Quizá por eso las fiestas de Martí terminan cuando lo blanco reina absoluto. Lo hay también al principio. Quizá mi tía estaba en lo cierto: era un vacío que ella no se atrevía a transitar. La nieve es la tierra transfigurada, dice Balzac en *Seraphita*. Blanca es la muerte, la despedida: toda ausencia, la espuma, la soledad y el astro. Adiós, amiga. Blancos también suelen ser los pañuelos.

EL ÁLBUM

En el vasto comedor de una casa de huéspedes habanera, habitada por gente pobre y gente adinerada, se han retirado las mesas, y las sillas se han colocado en semicírculo. Cada una la ocupa un huésped ansioso del espectáculo a punto de comenzar. En un gran silencio hace su aparición una anciana vestida con sus ropas de antaño, acompañada por su esposo que sobre un cojín trae un inmenso álbum de fotografías. Cada ciertas tardes, si la anciana del álbum lo apetece, se realiza esta ceremonia. La duración no está fijada de antemano: puede abarcar varios días o varios meses. Consiste en algo simple y verdaderamente conmovedor para sus huéspedes: la vieja señora abre el álbum y les muestra una de las fotos que contiene. Y cada una la lleva, esa que es de la boda, en el preciso momento en que corta el pastel, otra en la que aparece paseando a la luz de la luna por las ruinas del Coliseo durante su viaje a Italia en 1912, o la otra con un perrito de lana artificial, la llevan a contar y a contar minuciosa cada hecho de su vida pasada, una parte ya perdida de esta vida y que ella pasa a revivir ante sus oyentes extasiados. Cada momento ha sido inmovilizado por el fotógrafo, y cada momento se enlaza con otros momentos, el anterior con el siguiente, los cercanos a los más distantes, y parece que la dama del álbum va a contarles la existencia del universo todo. Su esposo, sentado junto a ella, no tiene más obligación que inclinar la cabeza para afirmar cuando la dama le pregunta «¿Verdad, Olegario?», la veracidad siempre indiscutible del relato. Con el mismo gesto casual con el que ha abierto el inmenso álbum lo cierra la anciana señora, se levanta y sale del comedor seguida por su esposo, que lleva de nuevo el precioso objeto sobre el cojín. Todos los huéspedes se enteran entonces de que la sesión ha terminado.

Si Virgilio Piñera en esta narración de su libro *Cuentos fríos* ha descuidado consignar el color del álbum, declara sin embargo que sus esquinas estaban rematadas por cantoneras de peluche verde, y que las tapas eran de piel de gamuza. Como es habitual en un álbum de este tipo, sus hojas serían negras. Sobre el papel negro las fotos resaltan con mayor precisión. Al contrario del color blanco, el negro define los contornos y fija la presencia de los objetos.

Desde que el álbum se convirtió en moda, moda muy persistente, pues tal como lo conocemos en la actualidad se conocía en el siglo XVIII, diversas pieles —hoy sintéticas— se emplearon en sus tapas. Hábiles encuadernadores confeccionaron álbumes preciosos, adornados con figuras repujadas, letras y arabescos. Cristina de Suecia poseía uno de cierre labrado y llavecita de oro. Aficionada a la adquisición de manuscritos, códices y libros raros, esta mujer fea, un hombro más alto que otro, vestida con abandono, pequeña de estatura para ser sueca, tenía la afición de coleccionar autógrafos. Cuando Descartes, invitado por ella, llegó a la capital de su reino, le dio a conocer su álbum, introdujo la llavecita en el cierre labrado y le pidió al filósofo que estampara su firma en una de sus páginas. No sólo Descartes firmó, sino que posó luego para el pintor David Beck: la reina quería conservar su efigie en la galería de hombres ilustres de su palacio.

¿Por qué no relacionar la galería con el álbum, el retrato con la firma? Un retrato hecho de pinceladas fugaces, sometido a la perspectiva, de tonos pardos, matices y luces temblorosos, reproduce algo *único,* el ademán de la boca, la mirada y el porte de la cabeza, con la apetencia de inmovilizar lo que es y no tornará a ser, la historia de una vida en la expresión de un instante, y la firma es el trazo de la mano efímera que la muerte ha de paralizar: pequeña ruina llena de sentido en una hoja de papel. Cristina de Suecia no lo ignoraba: la galería, que ella gustaba recorrer sola, y el álbum, luchaban —modestamente— contra la implacable fugacidad.

Por la época en que Virgilio Piñera redacta su cuento, años cuarenta del siglo xx, la afición por el álbum fotográfico era muy intensa. Se vendían en las papelerías de la ciudad, en el estudio de los fotógrafos y en las casas de revelado. Quizá por esto Virgilio Piñera limita su narración al álbum de fotografías, y no al más amplio de recortes que había impuesto el romanticismo. En sus páginas se colocaban no sólo daguerrotipos (fotos luego) sino el pedazo de un encaje, una flor o un mechón de pelo. Habría resultado estremecedor que la dama del álbum mostrara a sus espectadores, en una de sus sesiones memoriosas, un resto del encaje de su vestido nupcial o de su pelo juvenil.

La fotografía en nuestro tiempo ha venido a suplir estos recuerdos de tanta presencia física. Los ha convertido en más abstractos, menos turbadores. Ya no se toca el encaje con el dedo o se intenta oler el perfume imposible de una flor seca.

Cosas que gustaban o tenían algún significado secreto para el corazón llenaban las hojas del álbum romántico. Las hojas aportaban a su vez la variedad de sus colores: un verde para los dibujos, un azul para los poemas. Sentencias, máximas, consejos para la vida se estampaban en sus páginas. En la correspondencia de Carlota Milanés aparece un testimonio fehaciente: ha recibido en su casa de Matanzas un ramito de tuya que le envía desde el Niágara su hermano Federico. «Lo he preparado para ponerlo en mi álbum», cuenta al hermano en la carta en que le anuncia haberlo recibido. Ese ramito de tuya —aún, según dice, persistía su olor— perfumaría por un tiempo las hojas de su álbum.

Tras la expresión «lo he preparado» parece hallarse todo un rito, el rito del álbum. Había una manera de preparar las flores, recortar y pegar el mechón de pelo. Hay una manera de pegar las fotos, las postales, los sellos. A semejanza del apasionado por el disco, del que usa el teléfono o el automóvil, existe el rito de quien posee un álbum. Él sabe cómo «preparar» las cosas que conservará en sus hojas. Y sabe, además, dentro del rito, el lugar de la casa donde deberá guardarlo.

A fines del siglo XIX, el álbum era un componente del arte de recibir. Tras una pausa en la conversación, como dentro de un ceremonial, se le mostraba a la visita el álbum y se le pedía que escribiera alguna cosa en sus páginas. Era un modo de homenajearla, manifestarle el respeto o el aprecio en que la tenía la familia. Se le pedía que escribiera algo cuando había alcanzado cierto grado de intimidad. Era a la vez un reclamo cariñoso, con sus ribetes de vanidad, sin duda.

Para algunos escritores este reclamo se convirtió en persecución, en verdadero asalto. Martí y Julián del Casal lo padecieron. José Zorrilla, con pareja exageración a la empleada en el colorido de sus vacuos poemas, consignó en sus memorias que había sido requerido, durante su larga vida de escritor, ciento ochenta mil veces para que estampara su firma en un álbum.

En cierta ocasión me contó un amigo la pasión intensa que había sentido por una persona, y para demostrármelo no bastaron la humedad de sus ojos y su voz desgarrada: se levantó, abrió un cofre cerrado con llave y sacó un álbum encuadernado en piel granate, los cantos dorados, y lo puso cuidadosamente sobre una mesa. Lo abrió con ternura y me fue mostrando, el índice conmovido, las huellas de su amor. En cada una de las hojas había pegado, de la manera más delicada, la colilla del primer cigarrillo que ella fumó en su presencia y cuyos restos él recogió sin que se percatara, un fósforo apagado, las dos mitades de las entradas de un cine, las servilletas de papel, ya amarillento, del primer hotel donde estuvieron, un creyón de labios que ella olvidó en alguna parte, los boletos de un viaje en tren que hicieron juntos... El álbum era bastante grueso, y sus hojas estaban curvadas por el peso de los objetos.

Cada uno llevaba debajo una corta inscripción con la fecha, el lugar, la hora. Cuando mi amigo, como la dama del álbum piñeriano, terminó de pasar sus hojas, me confesó haberlo «preparado» para regalarlo a su amante en un aniversario. Así lo hizo. Le pregunté asombrado por qué lo conservaba él. Me dijo que en el momento de la separación —momento que a veces llega— la obligó a devolverle el álbum. «No quise dejarle ningún recuerdo.»

Lo que es hoy objeto de confesión íntima fue al principio instrumento público. Los diccionarios recogen la procedencia latina de la palabra álbum, forma neutra de *albus,* blanco. Aplicaban los romanos el término a toda superficie blanca o blanqueada, al lienzo de pared en el que escribían, mediante un pincel untado en pintura negra o roja, edictos, actas de acusación, decretos, el nombre de los atletas, las condiciones de los concursos. Tito Livio refiere en uno de los libros de su *Historia de Roma* que las instrucciones de Numa Pompilio sobre el culto sagrado fueron transmitidas al pueblo en grandes cuadros blancos. El pontífice redactaba su álbum *pontificis,* resumen anual de los acontecimientos importantes de la ciudad romana y de sus extensos dominios en la tierra y en el mar. Después de expuestos los guardaba. Conformaban los *annales maximi,* documentos imprescindibles a la voracidad de la historia. La afición por estos álbumes públicos creció en Roma: los jueces tuvieron el suyo, los senadores, y hasta los que tocaban algún instrumento musical. En uno de estos el emperador Nerón hizo inscribir su nombre como tocador de cítara.

Tras las excavaciones en la sepultada ciudad de Pompeya se halló una pintura que la lava del volcán respetó: representaba a varias personas —ya desaparecidas por supuesto— enfrascadas en la lectura de un álbum colocado sobre una fachada. Esta pintura muestra —a quienes viven todavía— un grupo de seres humanos que sobre otra pintura leen los hechos ocurridos en su ciudad, conservados en el *albus.*

Estos álbumes públicos, que recogían las noticias del día, indignas del bajorrelieve o las tablas, para darlas a conocer de inmediato a una audiencia mayor, ¿no recuerdan los murales revolucionarios? Idéntica necesidad de información masiva produjo la reaparición de un medio de publicidad tan antiguo. Como el término se reserva para los de uso privado, nadie ahora los llama álbumes, pero la asociación del mural con la expresión original del álbum romano es inevitable.

Como ciertos usos se generalizan, llegaron días en que los meros ciudadanos desearon poseer álbumes personales y particulares. En los libros de oraciones se incluyeron al final páginas en blanco para anotar acontecimientos familiares, el nacimiento, matrimonios y defunciones. Estos álbumes en ciernes se guardaban celosamente de generación en generación. Un hábil editor parisino intentó unir en 1551 las efemérides históricas con las privadas: editó un tomo de páginas impresas en la mitad superior y dejó la otra mitad en blanco: en ella se apuntarían los hechos domésticos. Pero el interés residía en la parte inferior de las páginas, y el proyecto fracasó. La gente aspiraba al exclusivo álbum privado, y lo tuvo tiempo después con el de autógrafos: dibujos, flores pintadas y adornos realizados con cabellos, recuerdos personales y daguerrotipos. La aparición de la fotografía dio origen a uno nuevo. A medida que las cámaras fotográficas se perfeccionaban y se fabricaban al alcance de todos los bolsillos, las fotos se multiplicaron casi mágicamente. Guardarlas fue una necesidad: el álbum de fotos apareció en las vidrieras.

A semejanza de lo que ocurre en el cuento de Piñera, cualquiera podría mostrar parte de su vida pasando las hojas de su álbum de fotos. Mostrar a los demás y mostrarse a sí mismo. El álbum de fotos cumple una función doble: permite a su dueño verse a sí propio y exhibirse ante los demás. Las fotos *representan* (en el sentido de puesta en escena) el viaje, la fiesta, la graduación. Quien prepara su álbum lo ordena cronológicamente. (Estos no sufren las manipulaciones con el espacio y el tiempo de la novela moderna.) El orden permite *pasar* su vida. Pasan los abuelos y los padres, el niño que fue, en pañales o desnudo ante la cámara, felizmente invisible. La ausencia de la cámara dota a la imagen de un aura decididamente real. La cámara no está, ni cuando la foto es ajena ni cuando el fotógrafo es el propietario del álbum. La cámara parece también mirar el pasar en su conjunto y en cada uno de sus momentos: desde fuera contempla una vida.

Cuando la dama del álbum lo abre ante sus espectadores de la casa de huéspedes, en el cuento de Piñera o mi amigo lo arrebata de manos de su amada para dejarla sin recuerdos, estos en verdad parecen surgir de sus páginas como las joyas de un cofre abierto. Los recuerdos impalpables semejan hallarse contenidos, encerrados, en sus hojas. Abrirlo y mostrarlo es permitirles reaparecer. Es decir, adquirir cierta corporeidad. Las fotos de un álbum, el mechón de pelo o el boleto de viaje han sido sacralizados: la gente por su propia voluntad los ha dotado de la virtud de retener en sí mismos la fluencia de la vida, y de traer al presente momentos del pasado que evocan mediante su aparición, como a quien comienza a fallarle la memoria se ve precisado a volver al lugar para recordar lo que quería hacer. La memoria está como ligada al sitio: volver a él la induce a funcionar de nuevo. Algo semejante parece propiciar el álbum.

Podría señalarse cierta similitud entre el diario íntimo escrito y el álbum de fotos. Ambos intentan conservar porciones de la existencia. Uno está escrito en imágenes, y es más moderno que el escrito en palabras. Fácil de ver, y sin embargo sumamente frágil. La foto puede estropearse, perderse, amarillea y se torna borrosa. La palabra escrita aparenta ser más perdurable, aunque susceptible de erratas y malas interpretaciones. ¿Será que también puede volverse borrosa?

Sin duda el álbum de fotos objetiviza. Otorga al recuerdo, según se dijo ya, corporeidad. Es uno de los instrumentos que, como el espejo, tiene el hombre para verse a sí mismo. Sin el espejo no puede verse la espalda. Empleando un espejo colocado convenientemente, múltiples pintores hicieron su autorretrato. Y ya Séneca, que reprochó al hombre antiguo su empleo en las ceremonias eróticas y no conoció espejos nítidos, sino el impreciso espejo romano, afirmó no obstante que el hombre se mira en ellos para *entenderse*. Recuerdo que mi tía, en medio de la conversación familiar, se levantaba inquieta preguntando por un espejo. «Hace rato que no me miro. Me parece que ya no existo.» Buscaba su espejito de mano o se ponía de pie para contemplarse en el de la sala y volver a existir.

Pero basta con separarse del espejo para que la imagen se extinga. En el álbum de fotos permanece. «Soy este», puede el hombre decir a su imagen con suspiro de alivio. La foto lo hace enlazarse en el pasado, adquirir objetiva unidad de vida. Sin duda él está ahí, de una manera especial. Si cada instante se pierde, el álbum de fotos intenta humildemente preservar dicho instante. Sin embargo para que surta su efecto completo necesita de la voz. En el cuento de Piñera, la anciana señora describía cada foto y su circunstancia. Al hablar animaba la imagen fotográfica. Cuando la voz desaparece, el álbum queda mudo. Y al extraño que luego lo abre podría apenas decirle algo.

DIÁLOGO DE LAS MÁSCARAS

El calor aumentaba y estaban abiertas todas las ventanas. Decidieron salir y sentarse en la terraza. La noche era intensa, el cielo, plagado de estrellas. Cuando el fresco nocturno había aliviado el calor, volvieron a conversar.

—¿Te acuerdas de lo que dice Séneca sobre el espejo? Varias veces me lo has mencionado.

—A Séneca le preocuparon los espejos. En Roma los había, algunos de cuerpo entero, aunque devolvían la imagen borrosa y en ocasiones grotesca. Por esto el filósofo estoico se debatía entre dos opiniones contrarias en boga.

—En boga en su tiempo, ¿no?

—Por supuesto. No obstante conservan la virtud de inquietar. Algunos pensaban que en el espejo lo que se ve es un simulacro. Formas emanadas de nuestro cuerpo y como separadas de él. Otros afirmaban que no eran simulacros lo que percibían, sino el cuerpo mismo.

—¿Por cuál se inclinaba Séneca?

—Que la imagen en el espejo debe ser necesariamente semejante al objeto. Y por esto, como se construían espejos deformantes que no representaban el objeto tal cual era, había personas que temían mirarse en ellos. Existía semejanza, pero deformada. Hacían crecer los músculos «de manera sobrehumana». O mostraban sólo el lado derecho de la cara, la imagen retorcida o inversa. Realmente lo que interesaba al romano, como filósofo al fin, era indagar por qué los espejos le enviaban su figura, por qué la naturaleza, después de haber creado los cuerpos reales, permitía que se pudieran mirar. «A buen seguro que no sólo para afeitarnos la barba, ni para embellecernos, ni para la lujuria... Los espejos se han inventado para que el hombre se conozca a sí mismo.»

—Es decir, los espejos no nos ocultan, por el contrario, nos develan. Me parece demasiado sencillo creerlo. O demasiado optimista. ¿Soy yo realmente ese que se mira en el espejo? No es tan simple la cuestión.

—Ten presente que habla un romano clásico, diferente de nosotros, al menos en esto. El «sí mismo» tan rotundo no se refiere al hombre interior, sino a su figura externa. El espejo le muestra su figura, y sobre todo, partes (la cara, la espalda) que no podía ver. «Partes que la conformación de nuestro cuerpo esconde a nuestras miradas.»

—En este sentido, si el espejo nos devela (aceptémoslo por un instante), la máscara nos oculta. Y parecen oponerse. Repara en esto: ambas invenciones pertenecen al llamado hombre antiguo. O mejor, al hombre clásico, ya que la construcción del espejo es posterior. Pero ambas coinciden, el espejo y la máscara, en un momento determinado de la historia. Y de ahí han seguido juntos, coexistiendo pacíficamente. Culturas de máscaras han llamado a estas culturas los etnógrafos.

—También podían llamarlas de espejos.

—Pero ya vimos que es posterior.

—Te acepto, por el momento, que la máscara oculta, como acabas de decir. Te acepto, además, la oposición entre el espejo y la máscara.

—¿Y después?

—Veremos que nos revelan a nosotros mismos. Tanto al hombre interior como al externo, si es que son diferentes.

—No nos perdamos, en una noche tan espléndida, por los vericuetos de la añeja cuestión del alma y el cuerpo.

—¿Por qué la noche?...

—Estas noches me reconcilian todas las partes.

—Fuiste tú quien la aludió. Dijiste que no era tan sencillo eso de que el espejo se inventó «para que el hombre se conozca a sí mismo». Dejo el desahogo lírico en un aparte.

—Es cierto. Pensé, y pienso cuando se trata este asunto, en una pintura de Picasso, *Muchacha delante del espejo*, de 1932, que he visto en el Museo de Arte Moderno de Nueva York. Los espejos aparecen con insistencia en las pinturas de Picasso. En esta es quizá donde el recurso —o la obsesión— es más cruel que en otras. Tal vez no sea cruel la palabra exacta. Quiero decirte que es desconcertante contemplar este cuadro. Está dividido en dos, y ya la mera división resulta significativa. En una, la de la izquierda, la muchacha aparece representada con trazos hermosos, rosada, serena. En la otra, la de la derecha, está el espejo, y en él la muchacha no se refleja tal como la vemos a la izquierda, sino convertida en imagen monstruosa. Ya no es rosada, sino morada, ya no es hermosa ni serena, sino horrible y sin sosiego.

—¿Digamos que se trata de algo semejante a lo que ocurre en *El retrato de Dorian Gray?*

—Se trata de un espejo, no de un retrato. Además, en el cuadro de Picasso parecen incluidos ambos: el protagonista de la novela de Wilde y su retrato. Pero el parecido podría encontrarse en un hecho: en la pintura y en la novela un objeto es el intermediario del descubrimiento personal.

—Del descubrimiento de la vida interior.

—Séneca, históricamente, no podía adivinar nada de esto.

—No estoy seguro. Escribió esa obra terrible, *Medea.* Pero al mencionar la fecha del cuadro, 1932, lo has dicho claramente. Si un romano clásico temía no verse en el espejo tal como era, hoy dudamos de que el espejo actual, que nos devuelve sin embargo una imagen de mayor nitidez, nos refleje del todo. Ya lo dijiste. Y no sólo dudamos: tememos ser —en lo que no se ve— diferentes del que se refleja en el espejo.

—Tal vez por eso nos enmascaramos.

—También la máscara es muy antigua. No lo olvides.

—Y todavía la usamos. Con otra connotación quizá.

—Hablemos de eso un poco. No sólo su empleo es antiquísimo, sino que es universal. La usaron casi todas las sociedades primitivas, y el hecho tiene que resultar sumamente interesante a la etnografía. Es uno de los instrumentos de metamorfosis más antiguos.

—Y más constantes.

—Cierto. Ha pasado del hombre primitivo al hombre actual. Claro, su aplicación no es idéntica. Si me acuerdo, hablaremos de esto después. No cabe duda de que muchas de las antiguas máscaras, también llamadas larvas, del latín *larva*, espectro, o denominadas en la comedia romana *persona*, se originaron en determinadas creencias religiosas.

—Explícate un poco.

—Para quienes el mundo exterior se halla poblado de espíritus y demonios, genios maléficos, potencias a las cuales teme y sobre las que no se siente con poder, la máscara constituye una defensa. Con ella, siempre de rasgos aterradores, los puede ahuyentar o al menos engañar, en una victoria del fingimiento. La cara cubierta lo dota de una apariencia distinta de la suya. Hasta aquí la máscara parece ocultar, encubrir. Hay sin embargo algo más, otro aspecto que completa la relación. En las grandes calamidades, una sequía prolongada, epidemias, malas cosechas, grupos de hombres danzan con las caras cubiertas. La máscara es una invocación. Estas danzas tienen por objeto transformar en propicios a los espíritus cuyos secretos designios se temen. Hacerlos útiles y buenos. En ocasiones parecidas, los aztecas colocaban máscaras de piedra en la imagen de sus dioses.

—Un origen semejante, si me permites, tiene el mito ateniense de las gorgonas: la cabeza de Medusa era una máscara espantosa que petrificaba al enemigo con la mirada. Griegos y romanos, en todas partes y en cada acto de la vida, la usaron como amuleto.

—Al inicio de la primavera, celtas y germanos realizaban una procesión de enmascarados para alejar el invierno y sus enfermedades. Consideraban que la acción de las máscaras

143

vigorizaba y rejuvenecía, hacía resucitar la naturaleza. Los chinos antiguos hacían lo mismo la última noche del año, a fin de espantar a los demonios de las hojas de los árboles.

En la terraza había refrescado. Veían las luces de la ciudad. Parecía la oscuridad más tenue, agujereada por miles de ojos. Fumaban como sibaritas, arrojando el humo por la boca y la nariz.

Hablaron de las máscaras funerarias egipcias. Cubrían el rostro de los muertos para protegerlos de los demonios en su viaje a ultratumba. Acompañaban al difunto. Estaban construidas en madera dura o en alabastro. Dentro de la tumba de Tutankamon, cuando se abrió el sarcófago que encerraba la momia, se encontró una espléndida máscara de oro sobre la cara del joven faraón difunto.

Las que se encontraron en las tumbas de fosa vertical de Micenas debían su origen a idéntica creencia, y constituyen la gloria de las artes menores micénicas. Eran de oro, repujadas a martillo sobre huecos de madera, cubrían el rostro del difunto en la tumba o acaso se aplicaban a la caja mortuoria. En un punto intermedio entre el trabajo del orfebre y el del escultor, estas máscaras revelan una cualidad micénica: la concentración de rasgos, una síntesis de los datos reales de la cara.

En un rápido recuento enumeraron las máscaras peruanas de plata y de madera, las de arcilla policromada de los sepulcros cartagineses, que tanto impresionaron a Flaubert, las de cobre y madera halladas en México, otras descubiertas en Siberia o en las regiones de Norteamérica habitadas por indios.

Se detuvieron en las de los mayas. Algunas fueron moldeadas en barro, y las de personajes de categoría se hacían de jade, piedra preciosa por excelencia para este pueblo. Los ojos eran de nácar y de obsidiana. La máscara, formada por un mosaico de refulgente verde, se construía en fragmentos, que luego se adherían sobre una ligera capa de estuco aplicada a la cara del muerto.

Tras esta enumeración de las máscaras mortuorias, realizaron una sencilla clasificación de las máscaras basada en sus funciones. Quedaron divididas, después de las mortuorias, en las siguientes clases restantes: las destinadas al culto, a la guerra y a la caza, a la justicia, las de danza y las teatrales. Todas menos las de teatro, muy posteriores, surgieron de la misma necesidad de defenderse de lo desconocido, del miedo, de la urgencia en proteger la cara contra el golpe del adversario e inspirarle terror durante la batalla con su terrible aspecto, o del afán de impresionar a los participantes en el culto, sobrecogerlos —sólo el sacerdote las empleaba— e imponerles terror reverencial.

Callaron un rato sin dejar de fumar. Había avanzado la noche y el silencio se extendía por la ciudad. En las ventanas de los edificios se iban apagando las luces. En las macetas el viento batía suave los helechos.

Reanudada la conversación se refirieron a las máscaras africanas. Reapareció el nombre de Picasso. Se contaron anécdotas acerca del «descubrimiento» del arte negro que hicieron diversos artistas en París. Por el año de 1907, Vlaminck encontró una escultura negra en una taberna y la llevó al estudio de su amigo el pintor Derain. La pusieron sobre el caballete, la contemplaron y dijeron: «Es casi tan bella como la Venus de Milo.» «No es tan bella como la Venus.» Sin ponerse de acuerdo, se fueron con la escultura a pedirle su opinión a Picasso. Este la miró, escuchó ambos juicios y sentenció al final: «Es más bella.»

No se hacían entonces rigurosas distinciones. Tanto era arte negro el de África como el de Oceanía, y en particular el de las islas de la Polinesia, de más fácil acceso: comerciantes coloniales franceses, cuando regresaban a la metrópoli, llevaban a menudo alguna pieza. En esta admiración de artistas europeos había mucho de ilusión: proyectaban sus propias inquietudes y problemas artísticos en un arte ajeno. Pero a ellos se debe el haber destacado su valor, su belleza, aunque no lo comprendieran del todo.

En cambio hoy, opinaron a continuación los conversadores mientras los envolvía el creciente silencio nocturno, se está menos inclinado a considerar el arte negro o el australiano, sus máscaras rituales, como fruto solamente del encuentro de la inocencia o la superstición con una naturaleza hostil y misteriosa. El «museo de horrores» que podría ser una colección de máscaras negras, con sus tatuados rostros, ojos ahuecados, dientes al descubierto, pintadas de rojo y amarillo, pelo humano natural, se origina en realidad dentro de un complejo modo de vida en el que la superstición y la ingenuidad primitivas desempeñan en verdad su parte (¿no somos nosotros —dijo uno de los conversadores—, a nuestra manera civilizada, también ingenuos y supersticiosos?), pero tienen a su vez un papel importante las relaciones sociales y económicas, las leyendas heroicas, luchas y migraciones, la relación del hombre negro con su mundo físico. Esto ocurre —por supuesto— con todos los pueblos creadores de máscaras, desde los antiguos egipcios hasta los iroqueses, desde hindúes y griegos clásicos hasta maorí y guaicurú. Los negros no son una excepción, tan sólo una de las últimas culturas que el hombre contemporáneo ha valorado.

Mencionan luego la confección de las máscaras. Como la máscara confiere poderes especiales a quien se la pone, y por esta razón caracterizan a las sociedades secretas y los ritos de iniciación, su confección es inherente al ritual, y está reservada a un círculo cerrado de artesanos que trabajan según normas secretas. Custodiadas por un sacerdote guardián, no podían ser vistas ni tocadas. Terminada la ceremonia serán destruidas o escondidas en cajas cerradas, dentro de una cueva o enterradas en la selva. Poseer una máscara es tener parte de su poder. Bajo pena de muerte, ni niños ni mujeres deberán presenciar su confección. Tampoco nadie podrá reconocer a quien se la pone y danza con ella. Cometería la violación de un secreto divino, que se paga con la vida.

—Ahora recuerdo que de muchacho me gustaba hacer caretas. Eran para el carnaval. Se las hacía a mis amigos y me hacía una para llevarla yo. Moldearlas me producía una emoción rara. Al principio dije gustar, pero era más que eso. Tenía un molde de yeso con la forma de la cara. Un molde general. Sobre él iba colocando —¿lo harían de modo semejante egipcios y mayas?— tiras de papel humedecido. Seguía la línea de la cuenca de los ojos, las de la boca. Engomaba, y después que estaba seca pintaba la careta de colores vivos. Aquello era emocionante. Me parecía producir algo. Digamos, para citarte el origen latino de la palabra máscara, producir una *persona.* Luego venía regalarlas, ver cómo se las ponían y se transformaban, ver cómo yo mismo me ajustaba la careta y me miraba al espejo. Algo de este sentimiento, quizá más turbador, como el de quien toca un objeto que considera sagrado, poseedor de poderes ocultos, debía de experimentar el artesano de la máscara ritual. En ella se concentraban poderes mágicos. Y esto sobrecoge al creyente.

—Relacionado con lo que dices, leí en Fernando Ortiz una observación. No se refiere al artesano que la construye, sino al propio enmascarado. Al revestirse la máscara alegórica, el disfraz que la acompaña y completa, y ejercer su función litúrgica, en medio de la solemnidad ritual, observa Ortiz que el enmascarado sufre una transfiguración emocional: participa de una realización sobrehumana, parece dar un paso hacia otra vida. El protagonista enmascarado está envuelto en la atmósfera de pasmo que rodea a los espectadores. Siente la euforia de su función. Está embriagado, al modo en que las bacantes se embriagaban con un dios.

—Ahora podemos regresar a una parte anterior de nuestra conversación, que se ha quedado un tanto extraviada.

—¿Cuál se extravió?

—La de que las máscaras, casi todas de apariencia atroz, eran para espantar a los espíritus inspirándoles miedo.

—Creo que al comienzo fue así. Y luego, o quizá al mismo tiempo, adquirió una doble función. Amedrentar a otros y representar, es decir, dotar a lo invisible de presencia real. Cuando el danzante o el oficiante se enmascara con una máscara que imita o trata de imitar al espíritu invisible, que imagina un trazo real para lo irreal y misterioso, se identifica con él y por tanto, en una victoria del enmascaramiento, se apodera del espíritu y lo torna propicio. El oficiante encarna —temporalmente— las potencias impalpables. La situación entonces se vuelve contraria: es el oficiante quien mete miedo, él es la potencia terrible y sobrehumana. Le ha bastado con ponerse una máscara, que suele él mismo fabricar.

—En este proceso de orientación mágica encuentro una humanización final. El hombre, apaciguando las potencias adversas, humaniza poniéndolas a su servicio. Es la danza de invocación al dios azteca de la lluvia: propiciar con su máscara que llueva.

—Por lo mismo te decía hace un rato, al comienzo de nuestra conversación, que no sólo oculta, sino, como el espejo, revela. Nos revela a nosotros mismos, en un plano más elevado. O más sintético. Es una de las tentativas del hombre para extender su personalidad, multiplicarla y ensancharla. El hombre primitivo volvió visibles a sus dioses, como el trágico griego a sus personajes legendarios: les puso una máscara: les dio una cara.

—Ciertos signos que el hombre crea evolucionan con él, sin perderse o desaparecer en el proceso. Cambian de aplicación y de sentido. Las horrendas máscaras, los oficiantes solemnes y de trágica dignidad, se han ido convirtiendo en espectáculo pintoresco y callejero. En la misma África los niños se divierten en grupos de enmascarados. La máscara, que infundía temor, forma parte hoy de nuestros juegos y diversiones. Se usa en los carnavales de Venecia y de Río. O se exhibe tras un cristal en los museos etnográficos o de arte.

—Ha devenido símbolo, metáfora. Se ha interiorizado. Decimos un tipo enmascarado, aunque no lleve ninguna visible. En el fondo es él quien no se hace visible. Permanece oculto. Rechaza el espejo y la revelación.

—Quizá se revela, para decirlo como tú lo has dicho, al ponerse la máscara.

—Oscar Wilde ha escrito esta aparente paradoja: «La máscara es más elocuente que el rostro.» Quien se enmascara sabe, en profundidad, que se engaña y define a un tiempo. Se enmascara, y se desenmascara para sí mismo. Afirmaba Pessoa que «fingir es conocerse».

148

—Quiero, antes de que amanezca, mencionarte otra de las máscaras actuales: la escritura, el más perfecto instrumento de metamorfosis que el hombre moderno ha inventado (o perfeccionado). El novelista, usando varias máscaras, nos traslada, nos saca de nuestra vida y nos lleva a vivir otras, que suelen ser distintas, fingiendo que nos completa y nos enseña, a nosotros, seres mutilados, obligados a tener una sola vida y a desear tener mil. El espacio entre nuestra existencia real y nuestros anhelos y fantasías, entre nuestro deseo de conocer y de conocernos mediante otros espejos, lo ocupa la escritura, torneo de múltiples máscaras.

La noche terminaba. Se borraban una por una las estrellas. Sobre los techos de la ciudad asomaba el amanecer.

TRAZO DEL JARDÍN

A

Desde hace años, como tanta gente, admiro los jardines. A contemplarlos me detengo, particulares y públicos. Los de la inmensa ciudad hormigueante y los de la pequeña de transeúntes esporádicos. El jardincito que asoma repentino al doblar una esquina me deja extasiado. Y sé que quienes, al igual que yo, los admiran, no considerarán cursi la expresión, y menos la emoción que intenta manifestar.

Pertenezco a esa estirpe, al tipo admirador de jardines. Cuando visito una ciudad desconocida entro en sus jardines públicos tanto como en sus museos. Y si el propietario me lo permite, representante de mi tipo jardinómano que ha descubierto en mis ojos la admiración, y me invita a su jardín privado como quien invita a un trago, paso con gusto y me paseo por él. Pues no sólo deben contemplarse, hay también que pasearlos.

¿No se crearon para eso? «Naturaleza hecha para el paseo», los definió Alain, siguiendo en esto a Hegel.

Pasear por un jardín es tan remoto como el jardín mismo. Por los de Babilonia, plantados en colgantes terrazas dispuestas en anfiteatro, la reina Semíramis buscaba calma, temerosa de ser derrocada. Oculto en un lugar secreto de los jardines de Chapultepec, encontraba refugio y descanso Moctezuma. Huía de los terribles augurios que amargaron los años postreros de su vida. Grandes jardines tuvieron Ciro y Darío, con surtidores, fuentes y cotos de caza. Todo dispuesto pródigamente para el paseo venturoso de sus dueños.

Inclinados al placer más austero de la meditación, al diálogo y a la enseñanza de la filosofía, Aristóteles y Epicuro poseyeron jardines en Atenas. En compañía de sus discípulos los recorrían: caminar por ellos estimulaba la disquisición filosófica. Sólo un detalle distinguía a estos dos caminantes de jardines: enseñaban doctrinas opuestas.

Varios tratados se conservan de Aristóteles. Constituyen una parte ínfima de su ingente obra. De Epicuro, que compuso más de trescientos, queda aún menos: unas cuantas líneas. De los dos jardines que recorrían sus pies —el de Aristóteles especie de campo deportivo sombreado de árboles— nada tangible dura, solamente la palabra en sus biografías. Los de Moctezuma, en Cuernavaca o en Tenochtitlán, son también meras palabras de un asombrado cronista español. Mención en Diodoro de Sicilia o descripciones de Strabón los babilónicos. Los de Ciro y Darío, de tan variados goces, el dato en una tablilla o un papiro. Figura funeraria o líneas de un plano los del antiguo Egipto. El jardín griego, desconocido de la posteridad, se ha convertido en los hexámetros que lo mencionan y figuran en el *Edipo en Colono,* la tragedia de Sófocles, o en un fragmento del Canto VII de la *Odisea.*

En él narra Homero que Ulises contempló admirado —pertenecía sin duda a mi tipo— el jardín exterior, al pie de las puertas del palacio de Alcinoo. Cuatro yugadas tenía de extensión y un seto alrededor. Ulises aprobó la regularidad de la plantación: cada variedad se hallaba en lugar propicio. Perales, granados, dulces higueras, olivos verdes y manzanos de espléndidas pomas. El agua espejeaba en dos acequias. Una servía al riego del jardín, la otra llevaba el agua a la morada.

De todo esto, ¿qué podría al presente encontrar el viajero? Nada permanece de la labor cotidiana de tantos jardineros, esclavos que disfrutaban, en medio de su falta de libertad, de una licencia: disponer la forma del jardín y velar porque su propia obra no se marchitara.

Parodio un verso de Quevedo sobre la Roma clásica: solamente el jardín no permanece ni dura. De las célebres ciudades de la Antigüedad resulta lo más perecedero. Un brazalete, un busto, duran entre la tierra, a la espera de la llegada del azadón del arqueólogo. O quizá indiferentes al porvenir. Las excavaciones pueden desenterrar una ciudad, sus murallas, casas y palacios, sus tumbas, pero sus jardines no pueden ser desenterrados. Se descubre el perímetro que ocupaban. Tropieza el arqueólogo con un cantero roto, sigue unas marcas en la tierra. En las pirámides se hallaron hojas, semillas de menta o de amapolas, pero los jardines habían desaparecido. Imposible desenterrarlos. Por el contrario, hay que enterrarlos de nuevo: volverlos a sembrar.

B

Retorno a la definición que liga la naturaleza del jardín con el paseo. El nexo existe, pero es excluyente. ¿Por qué solamente con el paseo? La definición de Alain tuvo su origen en una consideración de Hegel. En su *Estética* dedicó varios párrafos, tres en total, al estudio de la jardinería. Afirmó en ellos que el objeto del jardín consiste en servir al placer del paseo. Hegel, como Alain y los seguidores de esta opinión, parecen haber tenido presente al formularla los extensos jardines públicos que el romanticismo plantó en las grandes ciudades europeas: un panorama de perspectivas cambiantes, alamedas, estanques, cascadas, que mantienen despierta la atención y expanden la mente con su abundancia de cielo.

El diminuto jardín medieval o el casero no figuraron en sus consideraciones. De tenerlos en cuenta, su objeto no sería —exclusivamente— el paseo, sino algo más. Y es indudable que tanto el inmenso como el pequeño jardín deben tener idéntica esencia, un *en sí,* como le gustaría decir al propio Hegel.

No sólo los paseamos, nos sentamos en ellos, en el césped o en un banco. Esto, simple al parecer, no lo señalan ambos filósofos, y es un aspecto significativo. El objeto del jardín, cualquiera que sea su tamaño, no es solamente el variado mirar, las sorprendentes perspectivas y el coloquio peripatético, sino el mirar fijo, el recogimiento y la soledad. El jardín nos propone una comunicación con la naturaleza —naturaleza modelada por el hombre, según reconoce con acierto el propio Hegel—, de mayor amplitud que el paseo. El filósofo alemán sugería un tipo de jardín sobrio, sin sentido propio, que no impidiera el coloquio del hombre con el hombre.

(Escribo aquí de paso el interrogante que me asalta: si la naturaleza en el jardín ha sido modelada por el hombre, ¿por qué una especie de coloquio con el jardín impide el del hombre con el hombre? ¿Acaso no estamos en presencia de una de sus obras, que valiera la pena explorar? ¿No paseamos por ella? Singular esto que me parece una contradicción de Hegel. Sólo encuentro esta explicación: el ejercicio de la filosofía, el filosofar, era para él la actividad humana más elevada.)

El jardín debía ser un ambiente agradable y propicio. No apartar al hombre de sus pensamientos ni distraerlo de sí mismo. Sin hacerse valer, permitir la conversación —el diálogo socrático, supongo— durante el paseo. Es decir, desvanecerse en cuanto jardín a medida que los conversadores lo andaban.

Encuentro en este deseo una reminiscencia de la función del jardín de Epicuro. No obstante el mudo desprecio de Hegel por la presencia física del jardín que pisaban sus pies y miraban sus ojos, su afán perentorio de diluirlo en palabras, no obstante nos agrada a otros hombres caminar por ellos tanto como sentarnos, hablar, pero también callarnos. Ambas posibilidades participan del objeto del jardín. Ha sido creado para el movimiento y para la quietud.

C

Vuelvo a la cita de Homero. El admirador de jardines debe sentirse intranquilo. Ha descubierto mi imprecisión al no destacar un hecho decisivo en la cita. Y paso a considerarlo.

El fragmento aludido de la *Odisea* no distingue entre huerto y jardín. O bien Homero o su traductor, en este caso Estalella, usaron indistintamente y como sinónimos ambos vocablos, o bien la Antigüedad clásica —sucede con persas y tibetanos— no deslindaba claramente entre los dos.

La descripción del jardín admirado por Ulises, cuya realidad es sólo el verso homérico, se corresponde en rigor moderno con las características del huerto. Pese a la regularidad de su ordenamiento, abundan en él los árboles frutales, la vid y el olivo. No se mencionan flores ni plantas cultivadas. El orden de la siembra es más utilitario que ornamental. La admiración que causó en Ulises debe de tener su móvil en la sabia distribución agrícola, y no en el encanto inútil de su belleza.

D

«Espérame. Voy a traer el café», y mi amigo abre la puerta de su jardín, me invita a pasar y se marcha.

Bajo tres escalones, piso el césped, denso y muy verde, y ocupo una silla de madera. Hay cuatro sillas alrededor de una mesa blanca. Las sillas son también blancas. El jardín imita en algo los jardines ingleses: abundante césped, altas plantas pegadas en los muros. Recorro con la vista este espacio verdoso, de trazos nítidos, simplificados. Entre las altas plantas, flores de pétalos carnosos, apretadas en haz, tienen la forma de copones rústicos. Ignoro el nombre de estas flores y ellas no lo requieren tampoco. Están ahí, plenas, simplemente gozosas de su presencia. Están, y yo las admiro. No sé nombrarlas. Airosas semejan inclinarse hacia su espectador y decirle: rojo, con un silbo de flor.

Me quito un zapato y hundo el pie en la yerba mullida
—moderno Anteo tropical en busca de su madre—, y sé que
sonrío. Pobres imágenes eruditas que multiplican nuestra comprensión. Antes de que mi amigo regrese me calzo nuevamente. Pudor civilizado: ¿qué va a pensar de un pie sin zapato?

Existe una palabra que quisiera decir. Resume lo que siento.
Es la misma palabra que escribió Henry James al definir su
impresión del jardín de una vieja casa de campo inglesa. Era
de tarde como ahora, y todo en el césped se hallaba dispuesto
para la ceremonia del té. Esa palabra, que me digo callado, es
sosiego.

E

Mientras tomamos el café expongo a mi amigo la teoría de
Hegel acerca del objeto del jardín. Él, sonreído, apunta que
tal vez no entendí el sentido del término *paseo*. O que lo tomé
literalmente, que es también una manera de no entendimiento.
En espera de su aclaración revuelvo mi café despacio: en el
fondo de la taza siento disolverse el azúcar.

Tras recorrer con la vista su jardín, me dice que el paseo, el
hecho de pasear, no es solamente la caminata, el movimiento
de las piernas y del cuerpo, sino vacar, la libertad sin preocupaciones inmediatas, el momentáneo no tener nada que hacer, en suspenso la tarea habitual y los horarios. «Eso está
implícito en el término, y puede ser el objeto del jardín, naturaleza hecha», concluye invirtiendo el orden de la definición
de Alain.

Tomo un sorbo de café y reconozco como posible su interpretación. Con ella ha destacado un nuevo sentido del jardín.
Pero nada en la argumentación de Hegel o en la de Alain hace
suponer tal amplitud de concepto.

Al invertir la frase de Alain me destaca un aspecto: el jardín
como naturaleza hecha para el paseo o el vacar, pero *hecha*
por el hombre, el diestro jardinero, para disfrute de otros hombres. Hecha, es decir, elaborada, construida por él. Ante su

verdor —siempre es verde un jardín aunque esté plagado de flores coloridas— experimenté el hacer humano, la obra nuestra. Es la naturaleza recortada, civil.

Cuando el hombre percibió (o supo) que parte de su lucha contra la naturaleza estaba cumplida y que había logrado someter el aspecto espantable del mundo, tenía techo, abrigo, y comenzaba a levantar ciudades, se sintió más confiado y más fuerte: el jardín hizo entonces su aparición al fondo de su casa. En la Edad Media, miniatura ajedrezada, rodeada por un muro defensivo contra los animales salvajes que todavía se acercaban a las ciudades, o en el Renacimiento, menos encerrado y más extenso, adornado con mármoles y estatuas de la Antigüedad clásica recién excavados. Ya no estaba al fondo sino también delante de la casa. Las casas juntas, en hileras, una recostándose en la otra, lo protegían de los elementos, y en el perímetro de su jardín plantó una naturaleza dominada, suavizada.

Cuando salía de su casa y entraba en su jardín, nada tenía que temer: ninguna fiera del bosque o de la selva se hallaba detrás de sus árboles, ni el león ni la serpiente lo acechaban para atacarlo. El bosque había dejado de ser sombrío y peligroso: en el ámbito del jardín fue sometido y cercado. El hombre se había llevado parte de la naturaleza consigo. Tenía un paisaje ordenado al fondo o delante de su vivienda. Después lo plantaría en lugares seleccionados de sus ciudades urbanizadas. Una naturaleza *hecha,* que había aprendido a conocer y a dominar de acuerdo con su imaginación, peculiar manera humana de someter la naturaleza al lenguaje simbólico de un arte. Y sobre todo, aprendió a amarla sin temerla. En el jardín, la naturaleza era un misterio revelado.

Aquí tal vez sea acertado citar a Antonio Machado. Son versos suyos que me gusta repetir: «Y algo, que es tierra en nuestra carne, siente / la humedad del jardín como un halago.»

F

Recuerdo cuando la familia del Narrador, en la mencionada novela de Proust, sale del comedor de su casa en Combray y se sienta en el jardín. Ha terminado la cena. No es hora del té, como en la página de Henry James, y la noche empieza a asomarse por sobre los muros. Un seto de oxiacantos rodea a la familia sentada debajo del castaño. Callan o conversan de las cosas del día en voz baja. El castaño mueve sus hojas despacioso, sin ruido apenas. Puro sosiego este momento, momento que Proust llama «de amistad con la naturaleza». Distante suena la campanilla de la puerta. Es Swann que viene de visita.

G

Mi amigo y yo estamos de acuerdo en algo muy sencillo: el jardín es creación humana, los animales no tienen jardines. Si sus componentes son naturales —árboles y flores silvestres—, ya no son propiamente naturaleza: la mano (o la mente) ha introducido un cambio. «La jardinería confina ya con la escultura —afirma Rubén Darío en una de sus crónicas—, con la pintura, con la literatura. Las flores de los campos, las flores rústicas, han aprendido a ser elegantes, han aumentado y afinado sus trajes.» Graciosas palabras que resumen el trabajo de las tijeras, injertos y crecimientos artificiales: ramas que fueron obligadas a hacerse más cortas o más rectas, flores cabizbajas a erguirse o alterar su color —del bermellón al anaranjado, del violeta al azul—, las hojas, su forma o el tallo la suya.

«¿Crees que un jardín tiene semejanzas con un cuadro?», indaga mi amigo. En su cara descubro un estupor burlón. Respondo que ambos muestran una deliberada o consciente disposición de sus efectos. Y me aventuro en otra comparación más arriesgada. No sólo con un cuadro, también con un soneto. El jardín posee una estructura previa, como el soneto. Está

157

primero en la mente, luego en la tierra. Si no está del todo en la mente antes de realizarse, busca parciales construcciones, trazados, diseños mentales. ¿No es bastante para que se parezcan?

Como falta el enlace lógico en lo que le he dicho, lo veo en su expectación, abundo en las comparaciones. Piensa, le digo, en la disposición de un sendero y en la de los cuartetos. Existe cierta aproximación, un parecido. Los macizos de flores, ¿no se asemejan a los tercetos?

Tras un silencio, mi amigo plantea una objeción de carácter histórico. El jardín medieval y hasta el barroco podrían coincidir con la estructura rígida del soneto, pero no el jardín actual. Y yo le digo que ha tocado un problema apasionante: el nexo entre las diversas manifestaciones artísticas de una época dada. La forma de un jardín evidencia estos nexos: la pintura romántica se emparienta con el jardín romántico, y el barroco, con el contrapunto barroco. El jardín medieval lo abarca la mirada de una vez, el romántico o el barroco se abren hacia la lejanía: estanques, bosquecillos, laberintos... El actual sin duda habría que compararlo con el poema libre de Pierre Reverdy o de e. e. Cummings: irregularidad, consciente desorden, bellezas imprevistas.

Volvemos al concepto de transformación de la naturaleza que implica la creación del jardín. Mi amigo parece sopesar el vocablo «transformación» como si lo tuviera en su mano y le diera vueltas minuciosas. Y no le satisface. Piensa que es una transformación fallida, un fracaso. Si el poeta o el pintor, argumenta, transforman la naturaleza o la reinventan partiendo de ella, ¿hace esto acaso el jardinero? En el paisaje pintado, en su expresión literaria, existe algo definitivo, en el jardín no. El jardín es algo vivo.

Ahora soy yo quien lo mira estupefacto.

En seguida me aclara que, salvo la acción destructora del tiempo o de las erratas, el cuadro o el poema están terminados, han concluido: la naturaleza ha sido efectivamente transformada en imagen. Pero el laurel recortado en forma de esfera o de campana, las flores alteradas en su color y en su porte, crecen incontenibles o se secan. El jardinero debe reanudar su labor día a día, podar o regar fertilizantes. Su obra, por el contrario, es la que se encuentra amenazada de transformación. La naturaleza no ha sido en rigor reformada, solamente parece aceptar el cambio, siempre que resulte provisorio. Apenas el jardinero se descuida, vuelve la rosa inventada a su forma original. Es demasiado tenaz.

Y él, que no es dado a las citas, menciona el disgusto de André Gide, anotado en su *Diario*, al comprobar la desaparición de las variedades creadas por su jardinero: paulatinamente habían vuelto al pasado silvestre, del cual procedían.

Me inclino y acepto complacido aclaración tan precisa. Eso es, quizá, lo que dota al jardín de encanto perenne, la lucha del jardinero y la de la naturaleza por ser lo que son cada uno. O como diría Spinoza, por perseverar en su ser. Al desaparecer el hombre clásico o el renacentista, sus jardines también se extinguieron: se hicieron selva de nuevo o tierra seca.

H

Son las siete de la noche. De una noche de estío. Estoy en mi apartamento, en pleno corazón de la ciudad. Abierto el balcón, salgo a ver el jardín posible en esta parte del mundo, zonas pobladas, altos edificios y poco espacio, el jardincito aéreo. Helechos y cactus miran la ciudad de cemento desde la prisión de sus macetas de barro. Jardinero aficionado, como tanta gente, reviso, corto la hoja marchita, observo un rebrote, la florecita que asoma o está a punto de abrirse. Toco la tierra y compruebo el estado de humedad. Con una cafetera de metal, que ya nadie usa, comienzo a regar mi jardín.

EL COFRE Y LA LLAVE

Parado ante una vidriera de la calle Galiano vuelves a ver los cofres, objetos habituales de tu infancia. En la colección que contemplas los hay de forma cuadrada y rectangular, madera pulida, color crema, negra, rojiza, con incrustaciones de nácar o marfil aparentes. Simulan, estos al por mayor, el sándalo, y en sus tapas rectas, curiosas labores de marquetería propias de edades pasadas. Te agrada encontrar estos viejos amigos, a quienes la distancia no puede empequeñecer, delineados con cierta delicadeza.

Te agrada y te sorprende. Desde hacía varios años, por la década del sesenta, cuando varios cofres chinos, casi arcas y arcones dado su tamaño, inundaron las vidrieras y fueron desapareciendo lentamente con sus laqueados en negro y dorado, no se vendían estas cosas en las tiendas de La Habana.

Pasado un rato echas a andar. El recuerdo aflora, convocado en secreto por el encuentro. No podrías, si te lo propusieras, explicar el orden de tus predilecciones, pero sabes que esta de los cofres es muy antigua, aunque no puedes precisar cuándo la adquiriste. Por el contrario, si se tratara de la primera vez que fuiste al teatro o de la primera exposición de pintura a la que te llevaron, podrías ser más preciso, y muy vago en el intento de aislar la ocasión en que los cofres con la llave que suele acompañarlos, se convirtieron en dato de tu imaginación.

160

En la casa en que vivías, estabas casi literalmente rodeado de cofres. Tenían la abuela y tu madre. También tu padre, según descubriste una vez. Quizá influido por ellos pronto te hiciste de uno. Entre tantos cofres, puedes ahora hacer algunas distinciones. Puedes hoy, no cuando eras muchacho que apenas atinabas a distinguir entre la variedad de los cofres. Poco te importaba si eran de cedro o de metal, forrados con badana, la tapa recta o abombada, labrados o lisos, si eran realmente cofres o los habituales sustitutos que se encuentran en muchas casas. Nada conocías de su historia ni de los ebanistas que los hacían. Para ti, entonces, cumplían todos su misión, servían igualmente, y estaban dotados, tal vez por ti mismo, de misterio. Cada uno contenía, pese a su forma diversa y a su variada procedencia, algo íntimo. Poseían un espacio secreto, y dentro de ese espacio interior —la tapa lo hacía desaparecer de un golpe que parecía mágico— ocultaban un secreto personal. Ya oías por la radio versiones de *Las mil y una noches y La Isla del Tesoro,* donde los cofres, de inesperados dobles fondos o enterrados en las arenas de una playa distante, tenían el valor del anhelo, de lo buscado, y eran como protagonistas de la acción.

El recuerdo, que parece desplegarse solo y por propia iniciativa, te sorprende con un detalle curioso: los cofres ejercían sobre ti una impresión mayor que los armarios. El armario sin duda irradiaba en el cuarto un resplandor singular. Resplandor delicado, atrayente. Sentías el placer de estar cuando los mayores lo abrían, el gusto de oír, un tanto estremecido, el chirrido de sus goznes. Pero los cofres, el de tu madre por ejemplo, guardados dentro del armario o en alguna gaveta del tocador, despertaban un interés más absorbente. La causa podía residir en su tamaño: eran más pequeños que el armario, y sobre todo, se abrían menos. Sus tapas permanecían cerradas largo tiempo.

Mientras caminas Galiano abajo te dices algo curioso: te hubiera gustado que el cofre se llamara armario. Armario, la palabra, era encantadora y te agradaba repetirla. Tu madre te llamaba «fantasioso» cuando oías que la repetías sin motivo alguno. Parecía en tu lengua un término solemne y a la vez tierno. La primera *a* era como un soplo, y la vocal última cerraba con dulzura la palabra, tras un chirrido tenue. Armario sonaba bien, muy lindo. (G. Bachelard destacó, lo supiste luego, la belleza de *armoire* en el francés.)

La palabra cofre, por el contrario, hacía un ruido tosco, corto, y en nada se parecía al objeto que intentaba denominar. Carecía de su gracia ni tampoco tenía su misterio. Decías «cofre» y la lengua no experimentaba encantamiento alguno, quería como abandonar la palabra lo antes posible. Por eso debían llamarse *armarios*. Habías observado que muchas cosas bellas eran representadas por bellas palabras. Sucedía generalmente. Con el cofre no ocurría así. Si alargabas la palabra y decías cofrecito era más catastrófico: causaba esa impresión de idiotez que provocan algunos diminutivos.

¿Dónde habrán quedado las distinciones? Decía Baudelaire que el egoísta es un cofre cerrado. ¿Será egoísta la memoria y buscará su propio placer? A semejanza de la forma en que se organiza un paseo, una caminata, ¿puede organizarse un recuerdo? El presente introduce en el pasado, en tu pasado, una lógica adventicia. Quisiera el recuerdo gozar de su orden, y tú no lo dejas. Puedes decir ahora que de todos los cofres de tu casa, el de la abuela era el único verdadero. Y esta es ya una distinción. Al resto los llamarías «cofres improvisados».

Cuando se acabaron los bombones, la caja se convirtió en cofre. Profunda, de color morado, tu madre sustituyó los papeles de China por una badana verde, y dentro guardaba diversas cosas. Una, lo supiste, tenía suma importancia: sus aretes de perlas auténticas. Ella adoraba esos aretes, la única joya real que poseyó. En la caja, sobre el terciopelo verde, parecían objetos sagrados, dignos de un culto que no llegó a celebrarse. «Me los pondré el día que vaya a una fiesta.» Nunca hubo una fiesta a la altura de sus perlas, y en la caja siguieron esperando. La tapa cerrada defendía sus aretes de cualquier accidente. «De la adversidad», como decía un tanto sonreída.

Emitían desde el fondo de la caja un brillo peculiar, el de los objetos con energía propia, la que ella les otorgaba y luego les reconocía. Las perlas semejaban devolvérsela con sus reflejos tornasolados.

Te asombró conocer el origen latino de la palabra cofre, *cophinus*, que significa cesto. La tapa de su caja constituía para tu madre algo imprescindible, parte esencial del secreto o del modo de ocultarlo. Sorprendido observaste que el romano clásico designaba con el término un objeto abierto como era el cesto. Para ti, para todos los que conocías, un cofre sin tapa no era un cofre: estaba indefenso. Nada podía ocultar. Cuando la tapa no ajustaba, o estaba rota la cerradura y el cofre se hallaba a merced de la mirada de cualquier extraño, había perdido parte de su esencia, se hallaba en verdad mutilado.

Con frecuencia te preguntas si equiparar lo abierto con lo cerrado, al designarlo con un mismo vocablo, no significaba en el romano clásico un concepto (o sentimiento) diferente de la intimidad.

Una caja de tabacos era el cofre de tu padre. Contenía los recibos del alquiler de la casa, las cuentas de la luz y varios documentos legales. Junto a ellos había fotos de su juventud. En unas se le veía jugar al balompié, en otras estaba sentado con el balón entre las piernas, a sus espaldas el resto del equipo de jugadores aficionados.

Él te abría su caja: quería que lo vieras joven, en camiseta deportiva, pegarle al balón, las piernas desnudas y poderosas. Abrirte la tapa de su caja, sacar las fotos y colocarlas cuidadoso sobre la mesa, ¿no significaba revivir parte de su perdida juventud? Su juventud pasada semejaba descansar oculta, protegida, dentro de la caja de tabacos, convertida en un cofre de madera aromática. Alzar la tapa era realizar una invocación, el conjuro imposible: derrotar al tiempo insobornable.

También guardaba el número del tomo y el folio de su partida de nacimiento. Cuando tu madre los sorprendía con la caja abierta no dejaba de advertirte que tuvieras cuidado, no fuera tu padre, por algún descuido, a quedarse sin poder demostrar que había nacido.

Detienes la caminata. ¿Cómo era tu cofre? ¿Improvisado al igual que los demás? ¿De qué lo habías hecho? Te parece verlo: era una caja de lata, en la que al principio hubo caramelos, y que devino por tu elección, antes de que la echaran a la basura, tu escondite. Tenía la tapa combada y grabado un paisaje holandés. ¿O se trataba de una vista de Venecia? Nunca supiste bien, y ya es tarde, si era Amsterdam con sus casas de techo de dos aguas y sus canales, o Venecia con los suyos. En tu cofre de latón escondías pedazos de vidrio, copas rotas, cristales de colores que encontrabas tirados en la calle o en los latones de basura. No había para ti, en aquellos años, como ver brillar entre los desechos un pedazo de vidrio.

Luego comprobaste que los niños, en su mayoría, tienen cofres improvisados, cajas de cartón o de lata, maletas viejas en desuso que convierten en «cofres». Conservan en ellos cosas muy variadas que, a su manera singular, llamaron su atención o han despertado sus emociones.

En uno de los dípticos de marfil más hermosos que perduran de la Antigüedad, el de Estilicón y Serena, viste representado a un niño que, acompañado por sus padres, se dispone a huir de la casa y de la ciudad: el padre, gobernador romano, ha sido destituido. Los fugitivos visten ropas de calle y mantos. Sus pies, como ansiosos de escapar, sobresalen del marco. El niño, con su cara de espanto, no lleva otra cosa consigo que una cajita, muy apretada entre sus dedos.

De todos los falsos cofres de la familia, el de la abuela despertaba mucho tu atención. Ella —además— lo llamaba «cofre». Ya nadie, después, los nombra así. Todos son cajas o cajitas. Pero ella usaba la exacta denominación. Su cofre era también el único auténtico de entre los que había en la casa, el único con llave. Estaba hecho de alpaca, que se mantenía oscura. La abuela prometía limpiarlo y a poco se arrepentía. «El lustre de la alpaca no dura», afirmaba, y otras decía que así era

164

más hermoso. El cofre seguía opaco, y para ti seguía siendo el de mayor misterio.

Espiabas el momento en que la abuela lo abría. Ella ocultaba la llave dentro del armario, entre las sábanas, y tú mirabas, sin ser visto, colocarla en la cerradura dorada del cofre y darle vuelta. Aquel cofre, en apariencia tan hermético, se rendía a la pequeña llave. La cerradura, de metal tan serio, claudicaba ante la suavidad de la llavecita: quebrantaba su complicado aparato defensivo: la tapa del cofre se levantaba dócil al mandato de tu abuela. Esto ocurría de cuando en cuando. Raras veces, en rigor. El verdadero cofre no es un mueble cotidiano ni se abre a cada momento. Al igual que una persona reservada, le oías decir a tu abuela, no tiene la llave puesta en la cerradura. Esta ha sido retirada y, como el secreto que encierra, escondida. Para abrirlo hay que buscar la llave, que también ha sido escondida.

Los cofres tienen su día, su oportunidad. Hay el minuto del cofre, decía tu abuela, cuando todo en torno le es propicio. Pueden pasar años sin que este llegue. Presentes u ocultos, están cerrados, caída la tapa. No se usan como el tenedor o como se usa hasta una gaveta. Los cofres se abren de tarde en tarde, cuando *llega su hora*.

Por tanto la abuela, en muy contadas ocasiones, abría el suyo. Nada nuevo guardaba en él. Para ella habían terminado las cosas inolvidables, dignas de ser encerradas en el cofre. Si lo abría contemplaba las que estaban como pasado. Al igual que tu padre, ella también volvía a revivirlo, lo convocaba levantando la tapa, pues en el cofre nada se pierde. Diestros ebanistas lo han fabricado con tal fin. Nada cambia tampoco en ellos. Nada es fugaz ni frágil: lo que está en su interior volverá a encontrarse, a salvo de toda contingencia.

Callada y sola en su cuarto, miras de nuevo a tu abuela extender la mano ajada para abrir su cofre. En aquel momento, al igual que ahora, también descubrías, develabas algo. El cuarto de tu abuela, a semejanza del armario o de la memoria, era un gran cofre. Si ella se inclinaba para extraer los restos, hacías lo mismo: te inclinabas e incluías el recinto completo en el descubrimiento. ¿No atesoraban reliquias los antiguos cofres? Las cosas que tu abuela extraía eran a su vez reliquias, el cuerpo momificado de sus recuerdos. Una ocasión tan solo te acercaste para preguntarle por lo que guardaba. (Al contrario de los demás, la abuela no daba participación a ningún miembro de la familia en el momento de abrir su cofre.) Te dio una respuesta impresionante: «No guardo, resguardo.»

Lo que entonces te pareció extraño o un juego de palabras, es al presente sencillo y a un tiempo sabio. Exactamente no guardaba, defendía. ¿De qué? Del caos de las horas y de la diaria desaparición. Resguardaba. Eso era todo.

LA ARAÑA EMBLEMÁTICA

A)

Sentado en su cálido estudio un día invernal del Londres de 1828, William Hazlitt escribe un ensayo acerca del placer de odiar. En el párrafo primero cuenta que ha descubierto, en el momento de iniciar la escritura, una araña en el suelo alfombrado. La ve renquear torpemente en su dirección, sobre sus cuatro pares de patas ambulatorias, rematadas por uñas curvas. Debajo de ellas tiene, esta especie doméstica que dura varios años, al contrario de las vagabundas que viven uno solamente, un conjunto de cerdas que le permite andar por las paredes y el techo.

Cuando descubre la presencia de Hazlitt como una sombra gigantesca desconocida, la araña se detiene. ¿Se batirá en retirada o continuará el avance? Con sus ocho ojos, cuyo sentido de la vista es débil sin embargo, observa a su enorme enemigo. Hazlitt, al comienzo de su ensayo, la califica de incauta y apresurada, de andar torpe. Realmente, el insecto es cauteloso. Su andar, semejante a una serie de pinzas que se movieran y que recuerda el tamborileo de la mano humana en una mesa, no es torpe, sino preciso y hábil. Puede —además— volverse rápido en el ataque o en la huida.

«La extraviada bandolera», según Hazlitt la llama, detenida ante su enemigo potencial, se mantiene expectante.

167

Vigila cuidadosa cada uno de sus movimientos. Probablemente, cumpliendo con el poderoso instinto de conservación de los animales, se halla lista para el ataque o la defensa: tensos sus dos artejos, ancho el uno y el otro en forma ganchuda, a cuyo extremo se encuentra la glándula segregadora del veneno con el que paraliza o mata a sus víctimas.

Pero Hazlitt no realiza el menor movimiento ni emprende ofensiva alguna. Piensa que la araña, por el contrario, ya lo habría iniciado en contra de cualquier insecto más débil, de la mosca atrapada por sus maxilas o en la densa trama que hubiera tejido a su alrededor. Como no puede ingerir animales sólidos debido a la pequeñez de su boca, ya estaría dispuesta a inyectar en su presa, mediante una herida, los jugos digestivos que le permitirían en parte digerir su alimento.

Ante la quietud y la ausencia de belicismo de su enemigo, la araña se aventura a proseguir «con una mezcla de astucia, imprudencia y de miedo».

Al pasar por su lado, Hazlitt, para ayudarla a escapar, levanta levemente la alfombra. Cuando la araña desaparece no puede evitar estremecerse. Se da cuenta de algo: la repulsión que le ha provocado verla.

B)

El primero de abril de 1851 le ocurre a Fredrika Bremer, en el campo cubano, un incidente que califica de «extraordinario»: su encuentro, por vez primera, con los cocuyos. Las lluvias continuadas de esa época del año los han hecho aparecer. Con miles de sus luces centellean las copas de los grandes árboles del monte. Ella los estudia y admira. Los dibuja en su álbum de viajes para llevar un «pequeño recuerdo» cuando vuelva a Suecia, su tierra natal. Si en los árboles centellean, a la viajera le resultan como lamparitas de tocador: ha llevado varios a su habitación y los ha puesto en un vaso de vidrio. Los alimenta con trocitos de caña de azúcar. Los cocuyos se están quietos, sin escapar, chupando sus trocitos... «Tengo en mi cuarto una verdadera compañía», escribe la Bremer. Qué mejor compañía en la densa noche campesina del XIX que un vaso colmado de luz.

Dos días después hará otro descubrimiento. Muy de mañana los cocuyos han desaparecido. No acierta la viajera a comprender el motivo: carecían de energía para abandonar la caña y volar. Sus ojos inquisitivos buscan por la habitación y tropiezan espantados, en medio de la pared del cuarto, con una araña negra como el carbón y del tamaño de una mano de niño: tiene apresado en la boca uno de los cocuyos.

Al verse sorprendida en su cacería escapa con su presa, la última.

Sin duda se trata de una araña peluda, corriente en el campo y en los patios de tierra, en las que hace excavaciones y tapiza sus cuevas subterráneas con hilos de seda. De día permanece en su escondite. Sale durante el crepúsculo en busca de sus presas. (La Bremer la sorprende casi al amanecer, cuando finaliza su cacería, camino de esconderse en la tierra.) Cubierta por una pelusa prieta y como aterciopelada, que cuelga parecida a filamentos, puede medir hasta cinco centímetros de longitud. (La comparación con la mano de un niño es casi exacta.) En general el sistema respiratorio de las arañas carece de pulmones y no pueden alcanzar gran tamaño. Algunas respiran por medio de órganos peculiares, especie de saco de paredes membranosas plegadas en forma de laminillas y dispuestas como las hojas de un libro, y otras por medio de tráqueas situadas en el abdomen.

También Fredrika Bremer, a semejanza de Hazlitt, experimenta una singular repulsión por este animal. (El aspecto de las arañas, como el de algunos seres humanos, no inspira confianza.) Al final del párrafo que Hazlitt le dedica en su ensayo sobre el placer de odiar, ha estampado una observación doble, realmente sorprendente, cuando afirma que la mira «con mezcla de repugnancia sagrada y de místico horror».

C)

Juan José Arreola, en 1949, más de cien años después de Hazlitt y de Fredrika Bremer, en pleno siglo xx, redacta un breve relato donde una araña, la migala, es el centro alucinador. En él insistirá en esa categoría de «horror» apuntada por Hazlitt. El protagonista del relato ha visto la migala en una barraca de feria callejera. La ha visto en compañía de su amante Beatriz, a quien parece perder ese mismo día: relampagueaban en su clara mirada el desprecio y la conmiseración.

Luego soñará con Beatriz, con su compañía imposible. La desaparición de Beatriz es el lado oscuro del relato. Todo lo ignoramos acerca de ella y de los motivos de su desaparición, y no obstante, a medida que la narración avanza, la migala se trueca en emblema evidente de la mujer perdida.

Tras la desaparición de Beatriz, el protagonista regresa a la barraca y compra «la repulsiva alimaña». (Qué semejante la adjetivación a la de Hazlitt. Qué semejante a la sensación que generó la araña en Fredrika Bremer.) Mientras la lleva a su casa dentro de una caja de madera, el protagonista, que cuenta su experiencia en primera persona, siente como dos pesos diferentes: el de la inocente madera y el denso de la araña, el animal «impuro y ponzoñoso» que conduce en sus manos.

Esa noche suelta la migala.

La ve correr por su departamento como un cangrejo y esconderse bajo un mueble.

Desde ese momento andará libre por la casa. El temor de encontrarla marca los instantes finales del relato. La vida posterior del protagonista se halla regida por los pasos invisibles del insecto.

Cada noche teme acostado en la cama su aparición. Despierta de pronto con el cuerpo tenso, helado, a la espera de la picadura. En el sueño presiente el paso cosquilleante de la araña sobre su piel, su paso indefinible.

Aquí podemos detenernos.

Es notable el temor que sentimos de ser atacados en la cama. El hombre se protege para dormir. Cierra las puertas, se desviste para vestirse con una ropa especial. Se cubre en el curso de uno de sus momentos de mayor debilidad, en el que somos más vulnerables: estamos dormidos. Mientras no llega el sueño, terminados los preparativos de defensa, prevalece el temor de ser asaltados. Cualquiera puede subirse a la cama o un animal saltarnos encima. (Tal temor —en este caso el de la migala— estremece al protagonista en el relato de Arreola.) Cuando el hombre se prepara para dormir, se apodera de la cama y hace suyo el espacio, realiza uno de los rituales más extraños del día. Nos entregamos indefensos a una fuerza habitual y desconocida a la vez, al simple y complejo acto de dormir. ¿Nos atacará la migala? El animal ponzoñoso anda suelto por la casa, oculto en su madriguera, hambriento, dispuesto para la cacería nocturna. De los pequeños animales que rodean la vida del hombre, la araña es uno de los que más horror infunde a su mente semidormida.

Como la migala y el protagonista no se encuentran jamás, intranquilo se pierde en conjeturas. En las noches de insomnio, la migala reaparece y se pasea «embrolladamente» por el cuarto. Trata de subirse a las paredes. Se detiene, alza la cabeza y mueve los palpos. Parece, como en Hazlitt, husmear agitada al enemigo ignorado.

Y entonces resalta más clara la asociación entre la migala y Beatriz, la amante perdida, la mujer imposible. Estremecido en su soledad, el protagonista rememora que aspiró en otro tiempo a su compañía.

He aquí un hecho singular: la imaginación ha transformado a la mujer en araña. Con frecuencia se imagina lo que se pretende describir. La ha transformado para entenderla mejor, para fijarla en un emblema perceptible que la defina. Es en rigor la función de la metáfora: aproximar dos cosas de semejanzas ocultas que de pronto se iluminan entre sí. La araña no es humana, esto lo sabemos, y sin embargo adquiere un valor, un signo, en el reino humano. Al parecer tenemos necesidad de objetivar, en un emblema aproximado y casi simbólico, una sentencia abstracta. Leibniz comparó la relación entre el alma y el cuerpo, su armonía y comunicación, con la maquinaria perfecta de un reloj, donde todas las partes están en continua interinfluencia.

Resulta singular que Beatriz, la mujer amada y deseada, se convierta en un insecto ponzoñoso, de dolorosa picadura. Su negativa, negarse a aceptar la compañía del protagonista, impulsa a este a buscar una definición tangible. Para entenderla (y juzgarla de paso), la convierte en migala. «La mujer espera al hombre como la araña espera la mosca», ha escrito Bernard Shaw. Cabría preguntarse si Beatriz hubiera aceptado el amor del protagonista, si hubiera dejado de ser la mujer que dice que no, ¿sería igualmente una migala? Otros relatos de Arreola, «Insectiada» por ejemplo, favorecen la vieja interpretación machista de la mujer como araña.

D)

El hombre, con su infatigable pasión de observar, se propone explicarse el universo mediante el universo mismo. De las estrellas al gusano le han servido para entenderse, entender la vida que hace y su lugar en el cosmos. Si estudia el comportamiento del animal, este le sirve a su vez de espejo. Sabe ser objetivo, desprenderse de su persona y mirar en torno, conocer las vidas ajenas, tomarlas en serio. Pero el conocimiento así obtenido es útil para su mundo propio, para mirarse a sí mismo y propiciar un nuevo modo de comprender su existencia.

Con el estudio de las arañas descubre que la hembra es mayor que el macho, en algunos casos hasta veinte veces, más vigorosa, y en ciertas especies más sanguinaria. Terminada la cópula y la danza que el macho ejecuta, tras tejer su tela y depositar los espermatozoides en el poro genital de la hembra, presa de una extraña voracidad, esta se vuelve y ataca a su amante con el fin de devorarlo. Si no logra escapar, se convertirá en su víctima.

¿Radica en esto el oscuro motivo de la asociación que realiza Juan José Arreola? Nuestra vida está plagada de valoraciones o interpretaciones que han dejado de ser científicas, y permanecen sin embargo impresas en nuestros nervios y en nuestra imaginación, perdurando como alegorías explicativas. Larga es la tradición —en Occidente se remonta a Aristóteles— de intercambiar conductas humanas y animalescas. Se dice que estamos tan tristes como un perro, que somos zorros, si somos hábiles en el fingimiento, fuertes como leones o frágiles como palomas.

Los viejos moralistas observaban las virtudes y los defectos de la conducta humana y los distribuían —graciosamente— entre los animales. O al revés, lo que me parece más justo. El animal tiene un comportamiento invariable, una amalgama de instintos perennes o que al menos duran siglos de estabilidad. Esto, sin duda, es imprescindible para la condición de «emblemas». Un emblema que cambiara constantemente de contenido resultaría incomprensible, inidentificable. La hormiga siempre es activa, agresiva la araña.

Con frecuencia se oye decir de alguien: «es una araña peluda», con el fin de juzgar su conducta. La comparación es antigua y se basa en dos prevenciones arraigadas: la agresividad de la araña —en rigor animal casi inofensivo— y la real agresividad humana. La araña *pelúa*, como dice el pueblo, agregándole otro matiz despectivo al acortar la palabra, define a la persona aprovechada, vividora, capaz de «devorar» al que se le oponga o se cruce en su ruta de ambiciones. En México, el país de Arreola, a la mujer pública se le dice «araña». A quien hurta carteras se le llama «araña» en Madrid.

Como tantos emblemas que el ser humano inventa —la capacidad para comprenderlos es también un rasgo mental propio del género—, el de la araña resulta susceptible de variadas interpretaciones o lecturas. No es unívoco sino ambivalente: resume el estremecimiento de horror y la emoción ante lo bello que al hombre le agrada mezclar. Las lámparas en forma de almendra y de cristales colgantes como filamentos, son «arañas». Luis XIV adornó el palacio de Versalles con hermosas arañas de plata cincelada. En las facetas de sus cristales de roca se descomponía la luz en vivos colores. Teatros como el de la Ópera de París o el Tacón de La Habana se vanagloriaban de sus grandes arañas luminosas. El repulsivo animal ponzoñoso, «la extraviada bandolera», ha sido elevado a categoría celeste: entre reflejos de cristal puro, ilumina la noche.

EL INFLUJO DEL VIENTO

En estos días, amiga, hablamos varias veces del viento, de su significado en las antiguas cosmogonías, y de su influencia en nuestra mente y en nuestro cuerpo. Recuerdo ahora, mientras te escribo, una de esas espléndidas anécdotas que sueles contarme y que suelen ser luminosas como un tratado, cuando el tratado es luminoso.

Te referías a tu abuela. Era la protagonista de la anécdota. Suele en nuestras conversaciones acudir una abuela o una tía para ayudarnos con su ejemplo. Como es natural, dadas nuestras edades, la tía o la abuela usaban ropas muy diferentes de las nuestras. Tu abuela se vestía con sombrero de plumas y velo, llevaba cartera, falda larga. Quizá botines. Para el gusto actual, ropa en exceso. (De pronto me doy cuenta, al enumerar el atuendo, de que puede ser tan actual como en su época. Así es de veleidosa la moda, parecida a los seres que la inventaron.) Para tu abuela encontrarse con el viento al salir a la calle era una verdadera batalla. Una batalla que se resumía en un grito: «¡Lo odio!» El viento se había encaprichado con su sombrilla: se la había vuelto del revés.

Parece el viento independiente de nuestra vida: sopla cuando quiere. Nos sorprende con su irrupción y se lleva el sombrero. Es el perfecto cazador furtivo. Interrumpe las solemnidades a la intemperie y nos pone en ridículo. ¿Recuerdas los momentos en que de repente el viento descompone la rigidez de un acto público, el develamiento del monumento o el curso del entierro? Ambos conocemos la existencia de aparatos sutiles que pueden medir su intensidad o sus cambios repentinos, pero nadie hace —y menos nosotros— su vida cotidiana contando con tales predicciones. Por eso el viento parece asaltarnos. Por eso tu abuela lo odiaba: tenía que defender su sombrilla, seguramente encantadora, de su asedio impetuoso.

Su sombrilla, el peinado, o impedir con sus manos convulsas que levantara su falda. Te subrayo lo del peinado. El viento no sólo despeina, sino, como afirmaba un tío mío que era calvo, «se lleva lo que queda». Yo no podía evitar, cuando oía esa frase hiperbólica, imaginarme al viento dejándolo calvo cabello a cabello.

No sólo es cruel respecto al peinado o al futuro del pelo, sino que puede dotar, a su manera, de vitalidad inesperada al cabello. Lo revuelve, lo levanta con su intervención azarosa. Transformando la forma habitual de un peinado, dinamiza la apariencia de la cabeza humana. Lo has visto sin duda. Has visto al amigo que marcha a tu lado víctima repentina del viento: sus pelos se alzan involuntariamente y su cara adquiere un aspecto novedoso.

En Guillermo Enrique Hudson, al que suelo leer, encuentro una observación que ha de interesarte. Se trata de que los seres humanos tenemos un sentido atmosférico. El viento, a semejanza de la lluvia, la luz solar o la nieve, forma parte del mismo. Es más, amiga, nos afecta de modo diferente que los demás estados atmosféricos. Quizá tenemos de él un sentido especial. Este sentido puede ser común o raro, tan raro como el de la orientación en el hombre civilizado. Referirse a él basándose —exclusivamente— en la propia experiencia es como querer agarrarlo con la mano, afirma Hudson. «O intentar atrapar la pelusa en el suelo que barre.»

Quien trabaja a la intemperie no se siente irritado por el viento. Lo deja soplar sobre sus espaldas desnudas. Suele invocarlo cuando es mucho el sudor o la tensión muscular. Para el que pasa la mayor parte del tiempo bajo techo, puertas adentro, cuya piel es muy sensible al tacto, la reacción resulta diversa: o es un suplicio, como puede suceder al artrítico, una batalla de manoteos como ocurría a tu abuela, o es una rápida alegría y, pese a lo que denomina Hudson degeneración física causada por el vivir sedentario y protegido, la sensación de algo renovador, el renacimiento de una energía oculta que el viento, aun en sus rudos ataques, despierta en el cuerpo.

Aquí detengo un momento la glosa. Voy a referirme a una experiencia que seguramente también debes de haber tenido y me gustaría que recordaras. Como habitamos un país al que azotan los ciclones, hemos visto muchas veces a la gente salir a la calle y caminar la ciudad agarrada de la mano para defenderse de la arremetida del viento, ir descalza bajo la lluvia frenética, abiertas las camisas, chapoteando, suelto al azote de la tempestad el cabello. Qué gozo y qué júbilo. La gente marcha seria y sonriente a la vez. El cuerpo recupera entonces su vigor secreto. Sentimos —ya que también hemos salido— el placer de desafiar al viento furioso.

A este placer se suma otro.

Digo placer porque carezco de palabra que designe la impresión de asombro, temor leve y delicia producida conjuntamente por el hecho de ver volar antenas, ramas arrancadas de árboles encorvados y chillantes, trozos de zinc y de ventanas... Cosas que parecían sólidas adquieren fluidez, cambian repentinamente su lugar y su forma dotadas de una esencia ajena, en apariencia como de un nuevo ser aéreo. Amiga, cabe preguntarse: ¿qué objeto tiene el viento al destruir?

Te escribo con la mayor simplicidad: la cólera sin objeto, completamente gratuita. El viento es su símbolo. ¿Qué voluntad deliberada lo impulsa? Joseph Conrad en *Tifón*, José María Heredia en varios poemas, se muestran interesados en este aspecto: parecen amar la tragedia física inmotivada. El mar en Conrad y el caro bosque en Heredia, ante el embate de lo terrible y a la vez embriagador, sufren un trastorno y, por ende, una accidental transfiguración.

Ver caer cosas que nadie derriba, oír lamentos y gritos que ninguna garganta profiere, nos permite, amiga, captar con claridad la condición esencial del viento: su invisibilidad. El viento carece de figura. En todas partes está y en ninguna en particular. Nace y renace de sus propias fuerzas, se revuelca y gira, amenaza, se va y vuelve, pero nunca podemos verlo. No sólo es imposible retenerlo y obligarlo a regresar, sino también hacerlo visible. No puede ser enmascarado. Se queja o calla sin permitir que lo veamos. A nuestros ojos es solamente perceptible cuando se encuentra con el polvo, y entonces resulta un fracaso: se ha convertido en miseria terrestre.

Antes, durante el despliegue de su furia, nos permitió captar la presencia de la furia elemental, acercarnos al misterio de la acción por la acción, al movimiento sin motivo. ¿Quién lo gobierna? ¿A qué se encuentra adherida esta voluntad vana? Nadie ni a nada. Es libre, terriblemente caprichosa.

Presiento tu objeción. Si lo es para nosotros, no lo es para el creyente. Has apuntado con reproche en diversas ocasiones mi precipitación y mi denuedo en torcer la interpretación exacta de un texto, mi olvido de matices y diferencias. No me excuso: paso a enmendarme.

En la *Biblia* el viento colérico o la cólera del viento es una manifestación de la cólera divina, una evidencia de la venganza del Creador que arrastra y pierde a los impíos. Es decir, detrás del viento y su poder devastador, en apariencia inmotivado, existe una voluntad deliberada, gobierno, intención todopoderosa.

Pues bien: como conocedora de la poesía de Heredia, sé que esperas a continuación que no silencie aclarar una cuestión decisiva. En la estrofa final de «En una tempestad» se encuentra la imagen del viento como enviado del Señor. El poeta oye en las nubes «el eco de su voz». Flagelo divino enviado a la tierra pecadora para obligarla a «temblar», el viento se convierte a un tiempo en escala que permite elevarse al trono del Dios bíblico.

Heredia es un poeta de la tempestad. El viento tiene en su obra otras varias connotaciones: refresca sus sienes ardorosas, impulsa la nave que lo aleja de la patria esclavizada, vagos pensamientos nacen mediante su contacto, inspiraciones bruscas, pues el viento es también *pneuma,* espíritu inspirador de la mente humana.

Sin embargo quiero contarte una fase del viento que Heredia percibe con acierto: su inmovilidad. Te hablé de su movimiento, de su cólera... Me refiero seguidamente a su fase contraria. (Heredia, como poeta de la tempestad, siente la necesidad del contrario: la calma. La calma, apetecida en su poesía y en su vida, es el otro polo de su poética.)

Primero debo enumerar dos pequeñas distinciones que se me han ido quedando sin escribir: primera: el viento es una corriente de aire producida en la atmósfera por causas naturales. Si yo fuera más ordenado y lógico hubiera empezado, a seme-janza de los filósofos, por esta distinción. Pero ya ves, amiga, que es ahora, cuando he avanzado algo, que recuerdo la confu-sión probable entre aire y viento, confusión corriente y que he escuchado múltiples veces. El aire es lo general, el viento lo particular. El viento es, digamos, una fase del aire, del que so-pla con cierto ímpetu. Es el aire que corre, según el decir de Séneca en *Naturales Quaestiones,* pero en un solo sentido.

Si es así, y aquí enumero la segunda distinción, su inmovi-lidad es relativa. Séneca —felizmente— se ocupa también de este asunto. Parto de su opinión, como tantas veces.

Del mismo modo que se afirma que el mar está calmo pese a tener cierto movimiento, aunque no en una dirección —Séneca cita un verso de la segunda Égloga de Virgilio: «Cuando los vientos callan y el mar está tranquilo»—, debe entenderse, no la inmovilidad, sino un ligero movimiento. En rigor nunca el aire (o el viento) está inmóvil, nunca se calla ni está quieta la mar, aun cuando estén en reposo. Pues puede acontecer —afirma Séneca con moderna penetración— que se mueva interiormente y no se... deslice.

Heredia captó esta inmovilidad aparente, el reposo del viento. En 1822 escribió su poema «El desamor». Puedes encontrar ahí ese momento al que me refiero, más sorprendente porque es la primera y única vez en su poesía que el viento reposa. «El desamor» se inicia con salutaciones a la noche apacible y a la luna, astro sereno. De inmediato comienzan los contrastes: la serenidad de la noche, del cielo oscuro y de la luna, con el corazón llagado del poeta y su pena sin paz. La serenidad de la hora nocturna es impresionante. La tierra calla para contemplar la carrera silenciosa de la luna. Su luz, convertida en fresca lluvia por el poeta, desciende como bálsamo sobre su pesar de hombre abandonado, sin amor. El silencio se extiende a toda la naturaleza: el céfiro —uno de los cuatro vientos de la tradición clásica, el que domina en la primavera y trae la lluvia fecundante— descansa adormecido entre las flores. Al silencio de la noche y sus astros se une el silencio de la tierra: las flores, el mango, los naranjos no se mueven: el viento parece haberlos abandonado, dejándolos como dibujados en la oscuridad. Al poeta lo invade entonces una pesadumbre extraña: su pecho se llena «con el sublime horror que en torno vaga / de sus copas inmóviles»... Este horror, no solamente por sublime —Heredia descubre en nuestra poesía la adjetivación contrastada: el grato horror, los placeres de la melancolía—, sino porque vaga en derredor, me ha impresionado siempre, amiga, como algo inexplicable: ¿qué horror es este? ¿Por qué vaga? Las copas del mango y las del naranjo están inmóviles. Su inmovilidad, casi imposible, produce un sublime horror, y es el horror el que se mueve, el que vaga por encima de la copa de los árboles, semejante a una móvil corona. La ausencia del viento —ausencia que sabemos sólo aparente— corona de horror los árboles. ¿O es que la inmovilidad inaudita del viento engendra el horror? Si no existiera tal inmovilidad, ¿existiría el sublime horror? Si el poeta supone al viento ausente, ¿es el horror a la nada, a la muerte por inmovilidad? No sé qué responderme. Quizá las respuestas en este caso, si hay más de una, no importan tanto, sino la inquietud interrogante que nos causa ese momento.

Ahora, amiga, reanudo la glosa.

Durante largas horas, en las noches invernales crudas, permanecía Hudson escuchando sonar el viento. Vivía en un pueblecito de la costa británica. Me parece ver a Hudson —ignoro el motivo de la asociación— en una de esas vastas landas en que sólo se crían plantas silvestres, en las dunas acarreadas por el viento, movedizas colinas de césped árido, como Heathcliff, envuelto en una capa oscura, en la novela de Emily Brontë o en *El pabellón en los links,* relato de Stevenson. Hudson se asemeja un tanto a los protagonistas de estas narraciones. Ellos también oían el ruido del viento y padecían su singular influjo. Lo oían zumbar en la chimenea con nota plañidera, o pasar, como en el verso de Julián del Casal, «ladrando sobre las rocas».

Al tropezar con resistencias, el viento emite una sucesión de ondas que varían en longitud e intensidad, produciendo vibraciones que se transforman en sonido. Los sonidos que Hudson enumeró, ¿qué eran para él y qué son para cualquiera que se detenga actualmente a escuchar? Silbidos, susurros, rezongos, quejidos, lamentaciones, chillidos... Todo un lenguaje inarticulado semejante al del hombre y al de la bestia en sus estados de excitación intensa. Por tal semejanza, aumentada e intermitente en su aparición, el ruido del viento impresiona poderosamente nuestros nervios, nuestra imaginación. Puede producirnos pánico o éxtasis, temores o pesar, sobresaltarnos, adormecernos con insospechada cadencia. Entrelazados, ahondándose y prolongándose, sollozos convulsivos o lamentos agudos, graves, en su conjunto integran una especie de armonía. «Este conjunto parece expresar», según el propio Hudson, «la vieja y terrible tragedia del hombre en la tierra —del hombre y de las bestias que él combatió y devoró—, relatada por un espíritu del espacio.»

Como el olfato o la vista para los olores o el color blanco, el oído prevalece sobre el resto de los sentidos, asombrado, espantado con las imágenes que el viento le sugiere. Habrás escuchado la frecuencia con que aparece, en las viejas cosmologías y en los sueños, la imagen de las «víboras aladas». ¿Cómo explicarlo —se interroga Gastón Bachelard— sin la angustia que ha producido en nosotros, seres humanos, el silbido del viento? En muchos relatos folclóricos resulta fácil descubrir la relación entre las imágenes del viento con las de las serpientes. «El viento parece una víbora», escribió un poeta culto, Víctor Hugo.

Nada tan ambivalente como el viento. Amenaza o se lamenta, es dulzura en la brisa y violencia en el huracán, destructivo, luego vigorizante. Extermina y fecunda, seca y riega el polen. Y si consideras lo que te llevo dicho, parece de pronto nada y de pronto existir. El hombre lo ha usado como metáfora de signo ambivalente, o para modernizar en algo mi lenguaje, polisémico. Si es colérico e impetuoso, es también una cosa ligera, que no puede cogerse, carente de algún valor. De aquí las expresiones tan empleadas como alimentarse de viento, llenarse el pecho, parir viento o hablar para él, y otras que dan a entender la vanidad e inutilidad de lo humano. Job resume este aspecto cuando afirma: «Soy viento.» Es nada, un soplo que se extingue.

Debo, amiga, terminar estos renglones. Pese a todo, y para aportar otra interpretación posible, te cito el verso de Valéry: «El viento se alza... hay que intentar la vida.» Si la vida en su fragilidad es viento que se deshace, como la fruta en la boca, también se alza de nuevo como energía creadora. Que él lleve estas páginas hacia ti y reposen en tus manos.

La Habana, 1984-1986

ÍNDICE

Imprenta
Federico
Engels